D0271935

Het grote
GEHEIM BOEK

Verhalenbundels van Uitgeverij Holland:

Het grote roversboek
Het grote heksenboek
Kinderverhalen rond Kerstmis
Keet in de klas
Monsters & Griezels
Dansen met de clown
Spionnen & Speurders
Elke dag dierendag

Voor meer informatie:
www.uitgeverijholland.nl

Het grote GEHEIM BOEK

Met tekeningen van
Saskia Halfmouw

Uitgeverij Holland – Haarlem

De pagina's over *Floortjes klein geheimschrift* zijn geschreven door Leny van Grootel, de illustraties en het handschrift zijn verzorgd door Saskia Halfmouw.

BIBLIOTHEEK BREDA
Wijkbib.   ost
Dr. Struyckenstraat 161
tel. 076 - 5144178

Inhoud

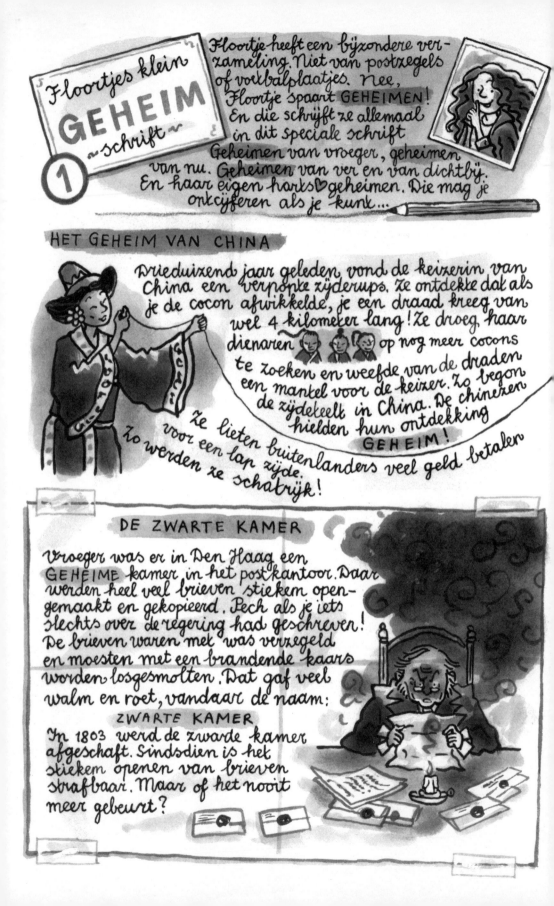

Floortjes klein GEHEIM ~schrift~

①

Floortje heeft een bijzondere ver-zameling. Niet van postzegels of voetbalplaatjes. Nee, Floortje spaart GEHEIMEN! En die schrijft ze allemaal in dit speciale schrift. Geheimen van vroeger, geheimen van nu. Geheimen van ver en van dichtbij. En haar eigen harts♡geheimen. Die mag je ontcijferen als je kunt...

HET GEHEIM VAN CHINA

Drieduizend jaar geleden vond de keizerin van China een verpopte zijderups. Ze ontdekte dat als je de cocon afwikkelde, je een draad kreeg van wel 4 kilometer lang! Ze droeg haar dienaren op nog meer cocons te zoeken en weefde van de draden een mantel voor de keizer. Zo begon de zijdeteelt in China. De chinezen hielden hun ontdekking GEHEIM!

Ze lieten buitenlanders veel geld betalen voor een lap zijde. Zo werden ze schatrijk!

DE ZWARTE KAMER

Vroeger was er in Den Haag een GEHEIME kamer in het postkantoor. Daar werden heel veel brieven stiekem open-gemaakt en gekopieerd. Pech als je iets slechts over de regering had geschreven! De brieven waren met was verzegeld en moesten met een brandende kaars worden losgesmolten. Dat gaf veel walm en roet, vandaar de naam:

ZWARTE KAMER

In 1803 werd de zwarte kamer afgeschaft. Sindsdien is het stiekem openen van brieven strafbaar. Maar of het nooit meer gebeurt?

ZOENEN OP ZOLDER

Er was eens een Franse prinses die verliefd was op een lakei. Dat kon natuurlijk niet. Een lakei die een prinses kust, stel je voor! Maar de prinses was slim. Ze had een prachtig poppenhuis waar ze vaak mee speelde. Als ze het poppetje op zolder zette, betekende dat: 'KOM NAAR ZOLDER, IK WACHT OP JE.' Helaas werden ze ontdekt door de derde kamer- meid. De lakei werd ontslagen en de prin- ses moest trouwen met een zure ouwe graaf. En ze leefden nog lang en ongelukkig... (Van oma gehoord)

DE ONDERGRONDSE STAD

De eerste keizer van China, Shihuangdi, liet wel een heel bijzonder graf bouwen. Een ondergrondse stad, compleet met een troonzaal en schatkamers, poorten en muren. Daaraan werkten meer dan een half miljoen arbeiders, 36 jaar lang! Dat is te lezen in oude, Chinese geschriften. Omdat de plaats van het graf GEHEIM moest blijven, werden de arbeiders na afloop gedood. Konden ze hun mond niet voorbijpraten.

En inderdaad... Het geheim is zo goed bewaard gebleven, dat de stad nog steeds niet is gevonden!

GEHEIMSCHRIFT ①

(Gewoon alles aan elkaar schrijven...)

oikbenopjoeriwiljehetnietverdervertellenwantmijnbroertjepestmijermee

Paul Biegel

Zwaantje

Tante Sientje kwam logeren en daarom moest Jelle van zijn kamer af. Boos betrok hij de zolder waar een oud bed stond tussen de kartonnen dozen en onder de ringen waaraan hij wel eens circuskunstjes maakte. 'Voor als je valt – dan val je zacht,' zei moeder.

''t Is een rotbed,' zei Jelle.

Maar hij moest er slapen, zeven nachten lang, want tante Sientje bleef een hele week.

Ze kwam met zeven koffers vol kleren en zeven dozen vol hoeden, want tante Sientje was rijk. Dat wil zeggen: ze was getrouwd met een stinkend rijke notaris die haar elke dag een nieuwe jurk gaf en een nieuwe hoed waarin ze mooi moest zitten te zitten op de sofa. Meer hoefde niet. Hij wist niks anders met zijn vele geld, zo saai was die man.

'Een weekje gezellig bij jullie!' riep tante bij binnenkomst. 'Heerlijk! Jongen, wat kijk je boos.'

'Niet op letten,' zei moeder. 'Gaat wel over.'

Maar het ging niet over. Jelle bleef boos over het rotbed waarin hij niet kon slapen. Boos over tante Sientje die de hele dag in haar zijden japon met twaalf gouden kettingen en armbanden en ringen en oorbellen op de sofa zat te zitten.

'Zó gezellig,' zei ze aan een stuk door.

Een hele week lang, dacht Jelle. Een hele week lang deze dure deftige verschrikking in ons huis, in *mijn* kamer, in *mijn* bed, tussen *mijn* spullen.

Maar op een middag toen hij thuiskwam uit school, zat tante Sientje niet mooi te zitten op de sofa, maar lag er een briefje op tafel: *Wij zijn naar de bioscoop. Neem maar een flesje fris en twee koekjes. Mama.* Niemand thuis dus! Jelle holde naar zijn kamer om te kijken of zijn spullen nog heel waren, maar het eerste wat hem opviel was een walgelijke stank van parfum, mierzoet in zijn neus. En de blouses en rokken en de japonnen en de mantelpakjes die overal in het rond hingen. En de koffers die er stonden, en de tas op *zijn* tafel! Al zijn dingen opzij geschoven, in een hoek gezet, zijn stenenverzameling op de vensterbank door elkaar gekwakt. Hij kon huilen van woede, boos bonkend liep hij de trap op naar de zolder om daar voor de rest van zijn leven boos op dat rot-bed te gaan liggen, maar daar zag hij iets zó onverwachts dat hij aan de grond genageld bleef staan. De ringen boven het bed schommelden langzaam heen en weer, met een zacht piepje, en aan de ringen hing tante Sientje wapperend in haar zijden japon.

'Ben ik een zwaantje?' vroeg ze.

Jelle moest zich in zijn vel knijpen om zeker te weten dat hij niet droomde. 'Maar… maar…' bracht hij uit. 'U was toch naar de film? Met mama? Ik bedoel…'

'Saaie film!' zei ze. 'Ik ben eruit gelopen. Maar je moeder wilde het einde zien. Is ze nog niet terug?'

Jelle zei nee in plaats van de duizend andere dingen die hij wou zeggen en deed een stapje achteruit toen tante Sientje met een echte circuszwaai uit de ringen sprong en keurig recht op het bed neerkwam.

'Maar… maar…' begon hij weer, maar tante Sientje deed 'Ssst!' tegen hem. 'Niemand vertellen!' zei ze. 'Nooit aan niemand niet! Is mijn geheim.'

'Geheim?' vroeg Jelle.

'*Jij* weet het nu,' zei ze. 'Nu je me gezien hebt. Maar niemand anders mag het weten.'

'Wat niet?' vroeg hij.

'Dat ik Madame Zoedoeria was.'

Jelle had nog nooit van Madame Zoedoeria gehoord.

'Nog nooit naar het circus geweest?' vroeg ze.

'Jawel,' zei Jelle.

'O!' riep ze uit. 'Ik was vóór jouw tijd natuurlijk. *De wereldberoemde Madame Zoedoeria, luchtacrobate aan ring en trapeze*, zo stond ik aangeplakt in alle steden waar ons circus kwam. Dat was *ik*.'

Jelle staarde sprakeloos naar tante Stientje die op het bed was gaan zitten. Ze leek een hoop todden in haar verfomfaaide zijden japon.

'Ja jongen,' zei ze. 'Daar hoor je van op, hè? En ik wou nog één keer. Kijken of het nog ging. Niks voor jou, circus?'

Daar had Jelle wel eens aan gedacht, maar nooit durven zeggen.

'Waarvoor hangen die ringen hier anders?' vroeg ze. 'Daar maak je toch wel eens een zwaantje aan?'

Hij knikte.

'Nou dan,' zei tante Sientje alias Madame Zoedoeria. ''t Zit ons in het bloed, jongen, in onze familie. De geur van zaagsel, wilde tijgers, knallende zweep, clowns, de ringen, de trapeze…' Haar ogen glinsterden. Het was dure deftige tante Sientje helemaal niet meer, die daar

voor hem zat op het rottige bed. Het was de beroemde luchtacrobate Madame Zoezoe… hoe-was-het-ook-weer, die daar zat te vertellen over haar vroegere leven. 'De schijnwerpers, de spanning, het trom-geroffel, de doodssprong, het applaus en gejuich… Ach jongen…'
Ze zuchtte en vertelde van de rijke notaris die haar in de kleedka-mer was komen opzoeken en haar zijden japonnen beloofde en champagne en kaviaar, elke dag, als ze met hem trouwde.
'Had ik nooit moeten doen, jongen. Want ik mocht niet meer aan de ringen van hem. Nooit meer. Alleen af en toe gaan *kijken* naar het circus. En niemand weet meer wie ik was.'
Jelle durfde niet eens te kijken naar tante Sientje, wat moest hij zeg-gen?
'Maar nu je me gezien hebt,' ging ze verder, 'zal ik je nog een ge-heimpje vertellen: ik ga het nog één keer doen.'
'Wat?' vroeg Jelle.
'Optreden,' zei ze. 'Morgenmiddag in Amsterdam, in theater Carré: nog éénmaal Madame Zoedoeria! En weet je wat het aller- aller-mooiste is, ik bedenk het nu: jij gaat met me mee!'
Jelle werd rood en wit en paars. 'A-aan de r-ringen?' vroeg hij.
'Nee jongen, nee. Jij hoeft alleen maar in de loge te zitten.' En tante Sientje legde hem uit waarom dat het aller-allermooiste idee was: 'Als ik met jou naar het circus ga, komt niemand op 't idee dat ikzelf daar aan de ringen ga hangen, terwijl als ik in m'n uppie zou gaan…'
Dat begreep Jelle. Hij begreep dat tante Sientje achteraf dus blij was met zijn ontdekking van haar geheim!
'Maar niemand vertellen hoor! Nooit niet! Aan niemand niet!' Ze keek hem aan, nog steeds op 't bed zittend als een verwaaide vogel-verschrikker, maar met twee ogen die straalden en schitterden als het circus. 'Beloofd?' vroeg ze alsof ze zijn speelmakkertje was. 'Dan kun je me zien zwieren in de ringen, hoog in Carré, als een zwaantje!'
Die avond aan tafel zat tante Sientje weer rijke dame te zijn in een roze zijden japon en ze droeg diamanten oorbellen met belletjes die tingelden als ze nee zei. Maar ze zei: 'Ja, ik trakteer Jelle morgen op het circus. Met z'n tweetjes naar Carré in Amsterdam. Hè Jelle?'

Hij kreeg een kleur als vuur.

'Nou jongen! 't Is te zien dat je het fijn vindt!' riep moeder. 'Aardig van je, Sientje!'

En vader zei: 'En het is voor jouzelf natuurlijk wel leuk om dat allemaal nog eens te zien, hè Sien? Of zou je nog wel eens willen?'

'Och…' zei ze.

Jelle kreeg weer een kleur als vuur.

'Hij is er opgewonden van,' zei moeder. 'Hè Jelle?'

Als ze eens wisten, dacht hij. Als ze eens wisten!

'Nee,' zei moeder. 'Ik denk niet dat Sien nog wel eens zou willen. Dat levensgevaarlijke werk! Ze kan nu lekker in luxe leven. Hè Sien?'

'Och…' zei ze weer.

'Maar leuk om het allemaal nog eens van nabij mee te maken! Dat wel natuurlijk.' Daar waren vader en moeder het over eens.

Als ze eens wisten, dacht Jelle. Als ze eens wisten…

Theater Carré was overvol. Bij de kassa stonden nog mensen te bedelen om niet-afgehaalde kaartjes, maar Jelle kon zó doorlopen met zijn dure loge-plaatsbewijs.

'Tot straks,' zei tante Sientje. 'Ik kom je hier weer halen na afloop' en ze verdween naar de kleedkamers.

Het was de allermooiste plaats van het hele theater en het werd de allermooiste voorstelling die Jelle ooit had gezien. Hij herkende tante Sientje niet eens. 'De wereldberoemde Madame Zoedoeria nog eenmaal aan de ringen!' zo werd met tromgeroffel aangekondigd, en daar verscheen, glinsterend in het volle licht van de schijnwerpers, een spierwit geklede acrobate met een roze gezicht en roze dijen, die meteen in de touwen sprong, razendsnel omhoog klom tot in de nok, één been in de ringen stak en ondersteboven hangend met wiekende armen rondcirkelde langs het plafond. Ze leek een tovervogel, en de zaal schudde van het donderende applaus.

Dat kan tante Sientje niet zijn, dacht Jelle, maar ze was het toch, hij herkende haar ineens toch toen ze weer beneden kwam en diepe buigingen maakte naar het publiek. Ik ben de enige die weet dat ze

mijn deftige tante Sientje is, dacht hij. En thuis ben ik de enige die weet dat mijn deftige tante als een zwaan langs het plafond van Theater Carré vliegt. Wat een geheim, wat een geheim!

Die avond aan tafel zat tante Sientje weer gewoon in haar duurste zijden japon vol glinsterkralen allerdeftigst soep te eten, terwijl Jelle in geuren en kleuren over het circus vertelde. Over de wilde tijgers, over de clowns, over de paarden.
'Waren er geen acrobaten?' vroeg vader. 'Aan de trapeze en zo?'
'O ja,' knikte Jelle. 'Ook ja.'
Meer zei hij niet.
Maar toen tante Sientje de volgende dag in haar allerduurste mantel en haar duurste hoed vol reigersveren afscheid had genomen en met haar zeven koffers vol kleren en zeven dozen vol hoeden in een taxi terugreed naar haar saaie notaris, vroeg moeder aan Jelle waarom tante hem die knipoog had gegeven. 'Wat bedoelde ze daarmee, jongen? Ik zag het wel: een duidelijk ondeugende knipoog. Alsof jullie een geheimpje deelden.'
Jelle werd hoogrood, maar hij hield zijn mond stijf dicht. Hij heeft tante Sientjes geheim nooit verteld. Nooit niet. Aan niemand niet.

Bobje Goudsmit

De overval

Sams vader was taxichauffeur. Hij had een eenmansbedrijfje en reed in een glimmende auto met zilverkleurige wieldoppen en zachte kussens zijn klanten rond. Vooral veel oma's en opa's die naar het ziekenhuis gebracht moesten worden. Sam mocht wel eens meerijden en ze gaven hem dan altijd dezelfde pepermuntjes. Die waar je zo lang op kon blijven zuigen. En aan het einde van de rit een aai over zijn bol, dat was minder leuk.

Maar sinds kort was er een nieuwe taxicentrale in de stad gekomen. Overal verschenen grote advertenties dat ze meer passagiers tegelijk konden meenemen en daarom minder duur waren. 'Eén belletje naar 432 en u kunt met zijn achten mee!'

En nu bleven de mensen weg. Ze kozen dus liever voor een goedkoper ritje dan voor papa's behulpzame handen bij het instappen en zijn vriendelijke *goedemorgen-mevrouw-Jansen-hoe-is-het-vandaag-met-uw-gezondheid*-woorden.

Sam herkende sommigen van hen als ze in volle busjes voorbijreden en naar hem zwaaiden. Dan stopte hij expres zijn handen zo diep mogelijk in zijn broekzakken om niet te hoeven terugzwaaien.

Telkens als hij uit school kwam en hun auto nog steeds op dezelfde plaats voor de deur zag staan, slikte Sam moeizaam iets weg. Een keer moest hij op straat bijna huilen, toen hij de geur van pepermuntjes rook.

Nog twee weken en dan zou Sam jarig zijn. Hij wilde erg graag een nieuwe fiets. Net zo'n mooie mountainbike als Jochem had.

'Dat zit er helaas even niet in, jongen,' verzuchtte zijn vader. 'Misschien volgend jaar. Met een beetje geluk.'

'Geeft niks, hoor pap,' zei Sam dapper. Maar met pijn in zijn hart, vanwege mama's zorgelijke gezicht. Omdat ze net als hij wist dat zijn ouwe rammelkast kapot was en niet meer gerepareerd kon worden.

Het viel zelfs de meester op dat Sam de laatste tijd nogal stil was.

'Is er iets met je?' vroeg hij op een maandagmorgen tijdens het speelkwartier.

Sam schudde zijn hoofd en de meester drong gelukkig niet verder aan. Maar even later riep hij Hafid – Sams beste vriend – bij zich om uit te horen. Natuurlijk zei die niks. Hafid ging heus niet verlinken dat Sams vader ook werkeloos was.

Die avond lag Sam in bed met de gordijnen open naar buiten te staren. Hij hoopte dat hij als hij lang genoeg keek een ster zou zien vallen. Want dan mocht hij een wens doen. Hij staarde net zo lang tussen zijn wimpers door naar de donkere hemel, totdat zijn ogen

vanzelf begonnen te tranen. Hij wist nog niet precies wat hij zou wensen. Een nieuwe fiets? Offe... iets heel anders?

Terwijl hij door zijn waas van tranen een grote flonkerende ster als een vuurpijl naar beneden zag vallen, fluisterde hij een paar woordjes. En opeens wist hij hoe hij het geluk een handje zou kunnen helpen.

Met zijn handen onder zijn hoofd ging hij erover liggen nadenken. Urenlang. Hij hoorde de torenklok in de verte een uur slaan... twee uur... Toen pas viel hij in slaap.

De volgende dag besprak Sam zijn plan met Hafid en Jochem. Hun ogen begonnen te glinsteren, hoewel ze zijn bedenksel wel gevaarlijk vonden. 'Maar je mag het aan niemand vertellen,' waarschuwde Sam. 'Het moet supergeheim blijven. Dat hoort zo bij vallende-sterren-wensen. Anders werkt het niet.'

Ze beloofden het.

'Wanneer doen we het?' vroeg Hafid handenwrijvend. Hij hield wel van een beetje spanning en actie.

Sam dacht na. 'Morgenmiddag.'

'Deal.'

Woensdag tijdens het middageten meldde Sam dat hij bij Hafid ging spelen. Hafid vertelde aan zijn vader dat Jochem en hij een eindje zouden gaan fietsen. En Jochem? Ach, zijn moeder was een stuk soepeler. Die hoefde niet voortdurend te weten waar hij uithing.

Ze hadden afgesproken bij de ingang van het verhuurbedrijf in de Mosterdsteeg. Klokslag drie uur, want Jochem wilde eerst naar voetbaltraining en Sam woonde het verste van hun drieën en moest komen lopen.

Ze gingen naar binnen. 'Waar kan ik jullie mee helpen?' vroeg het meisje achter de toonbank vriendelijk. Ze aarzelde toen ze het haar uitlegden. '*Twee* kostuums huren! Jullie hebben toch wel voldoende geld bij je, hè?'

Sam knikte en liet de munten in zijn broekzak hoorbaar rinkelen.

Natuurlijk! Met een licht gevoel van spijt dacht hij aan zijn lege spaarpot. Ach.

Even later rolden Sam en Jochem over de grond van het lachen, toen Hafid uit de kleedkamer te voorschijn kwam. Met zijn plastic vlindermes dreigend in de hand. Hij leek bijna net echt! Vooral dat dunne zwarte snorretje stond hem grappig.

Daarna was Sam aan de beurt. Nou ja, die kwam een beetje nepperig over, zijn uniform zat ietsepietsie te ruim. Hoewel zijn pistool alles weer goed maakte. 'Dat ding is vroeger vast echt gebruikt,' zei Hafid vol bewondering.

'Er horen ook klappertjes bij,' vertelde het meisje, 'zal ik ze er alvast voor jullie indoen?'

Toen gingen ze op pad: een gangster, een politieagent en een normale jongen van ongeveer negen jaar. De mensen keken hen glimlachend na op straat. 'Hé joh, je hoeft nog niet verkleed. Het is nog geen carnaval, hoor!' merkte een man goeiig op. Ze deden net of ze het niet gehoord hadden. Wat een stomme opmerking!

Ze liepen door de draaideur het gebouw binnen. Met zijn drieën tegelijk, dat bracht vast geluk.

Achter de balie zat een vrouw haar nagels te lakken. Ze hief haar hoofd naar hen op. 'Ja? Willen jullie een taxi bestellen? Voor een kinderpartijtje? Om iedereen weer veilig thuis te brengen?'

Hafid keek direct beledigd, maar Jochem nam het woord. 'Neuh. We willen de directeur spreken,' zei hij stoer. 'Nu meteen. Het is dringend.'

Ze greep de telefoon en draaide een nummer. 'Wie kan ik zeggen dat er is?'

Jochem keek onzeker naar Sam.

'De heer O. Verval,' zei Sam haastig. 'Taxi-Terminator van beroep.'

Hafid probeerde niet te lachen, maar zijn snorretje verraadde hem.

De vrouw herhaalde Sams woorden in de hoorn. Toen verbrak ze de verbinding en schroefde het nagellakpotje weer dicht. 'Je boft, mijn man heeft nu even tijd. Kamer vijfentwintig. Met de lift naar boven en dan de tweede deur links.'

Even later bonsde Jochem hard op de deur. Ha, de Taxi-Terminators zouden deze directeur wel eens even een lesje leren!

'Binnen,' riep een stem.

Sam gooide de deur wijdopen en Hafid stormde met zijn vlindermes in de hand de kamer in. De deur gleed automatisch achter hem dicht. Ze hoorden hem binnen met overslaande stem schreeuwen: 'Handen omhoog of ik prik je lek! Dit is een overval!'

Toen werd het opeens doodstil.

Sam en Jochem legden hun oor tegen de deur en luisterden. Maar tot hun verbazing hoorden ze alleen wat geschuifel en daarna een harde bons. Verder niets meer. De deur bleef dicht.

Sam beet op een nagel. Zenuwslopend!

'Waarom is Hafid zo stil?' vroeg Jochem ongerust. 'Wat gebeurt daar allemaal?'

'Kweetniet,' fluisterde Sam nerveus terug. 'We wachten nog tien seconden en dan gaan we Hafid arresteren en onze beloning opeisen.' Hij klemde zijn vingers nog steviger om zijn pistool. Jochem telde zachtjes mee. 'Vijf… vier… drie… twee… een!' *Nu!* Ze duwden de deur open en renden naar binnen.

Geschrokken staarden Sam en Jochem naar de grond. Midden in de kamer lag op een hoogpolig wit tapijt een forse man bewegingloos op zijn rug. Naast een groot bureau. Hij had zijn ogen gesloten, maar hij leefde nog wel. Zijn borstkas bewoog moeizaam op en neer. Je kon hem raspend horen ademhalen, zo benauwd had hij het. Hafid stond spierwit naast hem. 'Ik deed helemaal niks,' mompelde hij ongelukkig. 'Nou ja, behalve dan wat we hadden afgesproken. Een beetje met mijn vlindermes zwaaien en zo. Die man moest om mij lachen. Hij wilde opstaan, maar toen greep hij opeens naar zijn borst en viel uit zijn stoel. Zomaar. Boem. En nu gaat het hartstikke slecht met hem. Ik durf me niet eens meer te verroeren!'

Jochem ging van schrik huilen. Maar Sam wist meteen wat hij moest doen. 'Oren dicht,' waarschuwde hij, 'ik ga in de lucht schieten. Als die vrouw beneden de knallen hoort, rent ze vast wel naar boven.'

Hij wachtte geen seconde en haalde de trekker net zo vaak over tot alle klappertjes op waren. Het lawaai was oorverdovend. Maar de man knipperde zelfs niet één keer met zijn ogen! Hij was *heel* diep bewusteloos.

De vrouw schrok erg toen ze de man op de grond zag liggen. 'Lieve help, daar was ik al bang voor.' Ze knielde bij hem neer en maakte zijn das en overhemd los.

'Hij is hartpatiënt,' zei ze tegen Sam, 'het doosje met de pilletjes ligt in de bovenste la van zijn bureau. Vlug, pak er eentje uit en doe het in zijn mond. Onder zijn tong. Ik zal ondertussen de ambulance bellen. Hij moet zo gauw mogelijk naar het ziekenhuis.'

Maar de lijn was bezet. En al hun eigen taxi's zaten vol en waren heel ver weg aan het rijden. Handenwringend staarde de vrouw naar de man. 'O Appie, wat nu?'

'Kunt u niet mijn vader bellen?' zei Sam met een hoogrode kleur. 'Hij weet hoe je het snelst bij het ziekenhuis moet komen. Dat heeft hij al zo vaak gereden! Hij is waarschijnlijk thuis.'

Hij gaf haar hun telefoonnummer en vluchtte de trap af naar buiten. Met Hafid en Jochem achter zich aan.

Sams vader was er binnen vijf minuten. Tien minuten later lag de man in het ziekenhuis op de operatietafel. Hij kreeg twee nieuwe hartkleppen.

Na een paar dagen was hij buiten levensgevaar en mochten Sam en zijn vader bij hem op bezoek komen.

'U heeft mijn leven gered,' zei de man ernstig, 'u en uw zoontje. Zonder u beiden was ik vast dood geweest. De dokters hadden me al gewaarschuwd voor deze hartaanval.'

Sams vader haalde zijn schouders op.

'Het stelde niks voor. Ik deed gewoon mijn werk. Maar eh... wat heeft mijn zoontje hiermee te maken? Die was er niet eens bij. Die speelde op dat moment bij een vriendje.'

Nu was het de beurt aan de man om verbaasd te kijken. Sam sloeg zijn ogen neer. Zijn wangen gloeiden van schaamte. Maar de man verraadde hem gelukkig niet.

'Hmmm, zit dat zo?! Ach, dan zal mijn vrouw het verkeerd hebben begrepen,' mompelde hij, 'de artsen zeiden dat ik geluk had dat u mij zo snel naar het ziekenhuis kon brengen.'

'Ik had op dat moment toch geen klant,' zei Sams vader somber. 'Dus dat kwam goed uit.'

'O? U bent ook taxichauffeur?'

'Ik *was* taxichauffeur,' hoorde Sam papa hem verbeteren.

Waarna er een korte stilte viel.

Toen begon de man plotseling te schuddebuiken van het lachen. Het deed pijn aan zijn geopereerde borst, dat kon je duidelijk aan zijn gezicht zien.

'Nu begrijp ik het!' hijgde hij. 'De Taxi-Terminators! Wat een mop!' Hij vertelde dat hij voorlopig nog niet gaan mocht werken van de dokters. Eerst herstellen. Dat was op het moment het belangrijkste.

'Een beetje gekke vraag,' zei hij onverwachts tegen Sams vader, 'maar ik ben benieuwd naar uw mening. Er is me laatst zoiets grappigs overkomen. Vlak voor mijn hartaanval. Een overvaller stormde zomaar opeens mijn kamer binnen. Maar gelukkig was de politie vrijwel ter plekke aanwezig om hem te arresteren en mij te redden. Dat vertelde mijn vrouw me later. Nou, is dat nu geen mooi verhaal? Vindt u ook niet dat die politieagent een beloning verdient?'

Twee weken later was Sam jarig. Hij zou die verjaardag nooit meer vergeten. In de kamer stond een gloednieuwe mountainbike en zijn vader werkte bij... oom Appie op de taxicentrale. Als plaatsvervangend directeur!

Van Bobje Goudsmit zijn de volgende boeken verkrijgbaar:

Skeelers
Afscheidsbrief
Waanzinnig verliefd
De ijzeren maagd
Loservirus
De koffer, een zomerliefde

Petra Cremers

Beste vrienden

'Je kunt niet zomaar beste vrienden zijn,' zegt Jordi. 'Daar moet je iets voor doen. Allebei!'

Milan knikt. Wat Jordi ook zegt, hij is het roerend met hem eens. Jordi is de aardigste jongen uit de klas. Dat zag hij al meteen toen hij voor het eerst op zijn nieuwe school kwam, een paar weken geleden. Je kunt met Jordi lachen. Hij kan goed voetballen. En als hij iets lekkers bij zich heeft, deelt hij het nog met je ook.

Milan wil hem heel graag als *beste vriend*. Zo is het ineens niet erg meer dat hij met nieuwe kinderen in de klas zit.

'En wat bedoel je precies met dat we er iets voor moeten doen?' vraagt hij nieuwsgierig.

Jordi buigt zich naar hem toe. De andere kinderen in het overblijflokaal mogen natuurlijk niet horen wat hij gaat zeggen. 'Elkaar ons diepste geheim vertellen,' fluistert hij. 'Iets wat niemand anders weet, oké?'

Milan had liever een snee gemaakt in zijn vinger en zijn bloed vermengd met dat van Jordi. Dat doet minder pijn dan praten over je geheim. Hij kan het weten. Sinds kort is er iets waar hij het voor geen goud over wil hebben. Niet met Jordi, niet met de dokter, zelfs niet met zijn vader en zijn moeder. Eigenlijk wil hij er niet eens aan denken, maar dat moet natuurlijk wél.

Voordat de school weer begint, gaat hij eerst nog even naar de toiletruimte. Gelukkig staat er niemand bij de wasbakken. Hij haalt het kammetje te voorschijn dat tegenwoordig altijd in zijn broekzak zit. Hij controleert zijn kapsel, ook de achterkant, en kamt zijn krullen op hun plaats.

Als hij naast Jordi in de klas zit, stoot die hem aan. 'Kom je bij mij logeren? M'n moeder heeft gezegd dat het goed is. Ze zou het logeerbed alvast opmaken.'

'Ja,' zegt Milan blij. Bij elkaar logeren is echt iets voor beste vrienden. Maar zijn gezicht betrekt als hij hoort wat Jordi nog meer te zeggen heeft. 'Dan kunnen we het ook over ons geheim hebben. Misschien moeten we het opschrijven en het papier op een geheime plek verstoppen. Wat zeg je daarvan?'

Zoals altijd op vrijdagmiddag gaan ze knutselen. Dan zet de meester de radio aan en mag je meer met elkaar kletsen dan normaal. Maar vandaag heeft Milan er geen plezier in. De hele tijd spoken een paar vragen door zijn hoofd. Mag je een geheim verzinnen als je je echte geheim niet wilt verklappen? En kun je nog wel 'beste vrienden' zijn als je een potje zit te liegen?

Het logeerbed is groot en ze kunnen met elkaar praten tot het al erg laat is. Alleen ligt Milan niet helemaal rustig onder het blauwe dekbed. Wat als Jordi opnieuw naar zijn geheim informeert?

Maar voorlopig is het nog niet zover. Jordi heeft het eerst over zijn eigen geheim. Dat hij niet durft te gaan logeren, zelfs niet bij zijn oma. 'Ik heb het wel eens geprobeerd, maar toen moest mijn moeder me midden in de nacht komen ophalen. Ik kan gewoon niet slapen in een ander bed. Dan denk ik steeds dat m'n moeder er niet meer is als ik weer thuiskom. Ik kan dus ook niet bij jou komen logeren.'

Dat had Milan inmiddels wel begrepen. Jordi heeft alleen een moeder, misschien komt het daardoor. Maar hem maakt het niks uit. Hij slaapt overal wel.

'En vertel je nu jouw geheim?'

Daar is de vraag waar hij al bang voor was. Hij denkt een tijdje na. 'Je moet écht beloven dat je het aan niemand vertelt,' fluistert hij.

Er komt geen reactie van Jordi.
'Het is niet zomaar een geheim,' gaat Milan verder. 'Hoor je wat ik zeg?'
Naast hem begint Jordi licht te ronken.
Het zal toch niet waar zijn.
'Slaap je?' vraagt Milan voor alle zekerheid.
Jordi's adem stokt even maar dan begint hij nog wat harder te snurken. Hij is blijkbaar erg moe geworden van zijn eigen verhaal.
Milan is allang blij. Heeft hij tenminste nog een hele nacht om na te denken. Misschien kan hij zeggen dat hij altijd wagenziek wordt in de auto. Of dat hij het in zijn broek doet als er ineens een grote hond voor zijn neus staat.
Of kan hij toch maar beter de waarheid vertellen?

De volgende ochtend duurt het even voordat hij beseft waar hij is. Hij kent die geelgroene gordijnen niet en er schijnt veel meer licht naar binnen dan normaal. Heeft mama de rolluiken soms omhoog gedaan?

Net als hij heeft bedacht dat hij aan het logeren is, voelt hij een hand op zijn hoofd. Het is maar een lichte aanraking, net alsof die hand iets stiekems doet. Milan krimpt in elkaar. Jordi zal het toch niet gezien hebben? Hij draait zich gauw op zijn andere zij en legt meteen zijn hand op zijn voorhoofd.

Jordi kijkt alsof hij betrapt is. 'Je hebt daar zo'n plekje,' zegt hij, en hij wijst naar zijn eigen achterhoofd, 'zo'n plekje zonder haar.'

Milan weet precies wat hij bedoelt. Achter op zijn hoofd zit een ronde kale plek, ongeveer zo groot als een twee euro munt. Als hij zijn haar goed kamt, zie je er niks van, zeker niet nu het wat langer is. Maar in bed is zijn haar blijkbaar in de war geraakt.

Jordi ligt nog steeds naar hem te kijken en daar kan Milan niet goed tegen. Dadelijk ziet hij de andere plek ook, boven op zijn hoofd. Net zo groot en net zo kaal. Hij trekt het dekbed gauw over zich heen.

'Sorry,' zegt Jordi, 'ik zag het ineens. Doet het eigenlijk pijn?'

'Tuurlijk niet,' zegt Milan boos. Wat denkt hij wel? Zijn haar is niet uit zijn hoofd getrokken. Het viel zomaar ineens uit. Van de ene dag op de andere. Zonder waarschuwing. Hij moest niezen omdat er haar op zijn kussen lag en later heeft mama de stofzuiger gepakt om de boel schoon te maken.

Het hele weekend heeft hij het gevoel dat hij bijna over moet geven. Op maandagochtend voelt hij zich nog steeds niet lekker. Jordi heeft niet meer gevraagd naar zijn geheim. Hij begrijpt natuurlijk al wat het is.

Milan kijkt de klas rond naar de kinderen die nu nog aardig tegen hem zijn. Binnenkort gaat het gebeuren. Dan weten ze allemaal wat er met hem aan de hand is en dan wil niemand meer met hem spelen, ook Jordi niet. Die doet nu nog wel aardig, maar dat duurt vast niet lang meer. Hij is natuurlijk nieuwsgierig naar de rest van het verhaal, dan heeft hij straks nog meer te vertellen aan de anderen.

'Zullen we bij jou spelen of bij mij?' vraagt Jordi om drie uur.

'Ik moet vanmiddag nog ergens naartoe,' zegt Milan. Hij draait zijn hoofd gauw weg. Er rolt een traan langs zijn neus naar beneden. Die hoeft Jordi niet te zien.

De dokter graait door zijn haar alsof hij nog meer kale plekken wil ontdekken. Milan knijpt zijn ogen dicht. Zo hoeft hij tenminste niet naar mama te kijken met haar nep glimlach.

'Mmm,' zegt de dokter. 'Nog niks veranderd.'

Dat had Milan hem ook wel kunnen vertellen. Hij voelt vaak op zijn hoofd als er niemand in de buurt is. Een stiekeme test, in de hoop dat hij zich vergist heeft. Dromen kunnen soms heel echt lijken. Maar helaas is dit geen droom. Hij heeft écht kale plekken op zijn hoofd. Twee. Eilandjes tussen zijn krullen. Keurig rond alsof iemand een cirkel heeft getrokken met een onzichtbare passer. De plekken voelen heel zacht aan, net alsof hij babyvel op zijn hoofd heeft, en er groeit geen enkele haar op, niet eens een paar hele kleintjes.

'We moeten gewoon geduld hebben,' zegt de dokter opgewekt. 'Er is niks uit de test gekomen, Milan, je bent kerngezond. De rest komt

waarschijnlijk vanzelf weer goed. Het zou me niks verbazen als het door de verhuizing kwam. Dat is best wel spannend, toch? Nieuw huis, nieuwe school, andere kinderen.'

Hij wil hem een aai over zijn hoofd geven, maar hij bedenkt zich op het laatste moment. Zijn hand blijft even in de lucht zweven tot hij hem weer vlug kan laten zakken. Milan kijkt naar mama of die het gegoochel met die hand ook heeft gezien, maar die zit de punten van haar schoenen te bestuderen.

'Ga maar even naar de wachtkamer,' zegt de dokter. 'Je moeder komt er zo aan.'

Milan zou best stiekem aan de deur willen luisteren, maar nodig is het niet. Hij heeft al gehoord wat papa tegen mama zei nadat hij op internet had gezocht naar verhalen over kinderen en kale plekken: 'Misschien komt zijn haar terug, maar misschien ook niet. Het kan zijn dat er kale plekken bijkomen. En als we echt pech hebben, heeft hij straks geen haar meer op zijn hoofd.'

Milan moet er iedere keer aan denken als hij naar papa kijkt. Die heeft zijn haar korter dan kort laten knippen toen het bovenop nogal dun werd. 'Hé kale,' zei mama toen hij thuiskwam na zijn kappersbezoek.

Misschien noemt ze hem straks ook zo: 'Hé kale'. Net als de kinderen op school.

Van maandag op dinsdag wordt het ineens winter en Milan haalt zijn wollen muts tevoorschijn. Kan hij meteen die plekken op zijn hoofd verbergen voor zo lang het nog zin heeft.

Hij staat nauwelijks op het schoolplein als zijn muts van zijn hoofd wordt getrokken. Gauw fatsoeneert hij zijn haar en dan draait hij zich om. Hij ziet zijn muts door de lucht vliegen, een blauw geval met een kwastje. Er doen nog meer mutsen mee met het spelletje en kinderen natuurlijk, maar dat ziet Milan niet. Zijn oog valt op Jordi die een eindje verderop staat toe te kijken. Milan weet meteen hoe de vork in de steel zit: Jordi heeft hem verraden. Hij laat zijn tas op de grond vallen en vliegt op hem af. Even later zit hij boven op hem en begint hij met zijn vuisten op hem in te beuken.

Hij houdt pas op wanneer kinderen aan hem beginnen te sjorren. Klasgenoten. Ze kijken hem aan alsof ze hem vandaag voor het eerst zien. En Jordi moet zijn hand onder zijn neus houden, omdat er bloed uit drupt.

'Maar dat zou ik toch nooit doen. Jij gaat toch ook niet vertellen dat ik bij niemand durf te logeren?' Jordi ziet er écht verbaasd uit, maar misschien is Milan nog wel verbaasder. Jordi is helemaal niet boos over zijn dikke lip en zijn gehavende neus. En hij wilde ook niet dat de andere kinderen de meester gingen halen. Hij heeft zijn arm om Milan heen geslagen en is met hem weggelopen naar een stil plekje achter de school.
'Gaat het eigenlijk weer over? Die plekken bedoel ik.'

Milan haalt zijn schouders op. 'De dokter zegt van wel maar volgens mijn vader is er geen medicijn tegen.' Misschien wordt het nog erger, denkt hij bij zichzelf, maar dat durft hij niet hardop te zeggen.

'De kinderen uit de klas begrijpen het vast wel,' zegt Jordi. 'Kim heeft het soms erg benauwd omdat ze astma heeft. Ze heeft er een spreukbeurt over gehouden en toen moesten we allemaal door een rietje ademen. En Stefan kan niet goed lezen omdat hij dyslectisch is.'

Op zijn vorige school was een meisje dat altijd in een rolstoel zat. Dat herinnert Milan zich ineens. Ze mankeerde iets aan haar spieren en daardoor kon ze niet lopen. Eigenlijk was hij helemaal gewend aan Guusje in haar rolstoel. En hij heeft er geen idee van of ze ooit werd gepest.

'Volgend jaar gaan we op kamp,' hoort hij Jordi zeggen. 'Misschien moet ik het dan gaan vertellen van dat logeren. Dat zegt m'n moeder tenminste.'

'Ik help je wel,' zegt Milan. 'En als ze je uitlachen pakken we ze samen.'

Jordi knikt alsof hij dat al weet.

Op dat moment komt de meester de hoek om. 'Als jullie het niet erg vinden: de bel is gegaan, ik wil...' Ineens ziet hij Jordi's beschadigde gezicht. 'Ruzie gehad?'

'Nee hoor,' zegt Jordi, hij kijkt Milan lachend aan. 'Wij zijn juist beste vrienden.'

Van Petra Cremers zijn de volgende boeken verkrijgbaar:

Mickey Magnus
Razende reporters
Enkeltje Afrika
Detectivebureau K&K
Adres onbekend

Gonneke Huizing

Lieve briefjes maar nier heus

Het is stil in de klas. De kinderen van groep zes zijn druk bezig met hun topotoets. Af en toe wordt de stilte verbroken door een schuivende stoel of een zacht gekuch.

Liekje is als eerste klaar. Vet makkelijk, die topo. Ze leert snel. Ze hoeft het maar één keer over te kijken en dan zitten alle plaatsten muurvast in haar hoofd.

Ze kijkt stiekem naar Mees. Sinds het begin van groep zes is ze een beetje verliefd op hem, maar Mees is al vanaf groep een met Flora. Flora en Mees zijn onafscheidelijk, zoiets als Jip en Janneke.

Liekje snapt niet zo goed wat Mees in Flora ziet. Die meid ziet er altijd zo saai uit met een gewone spijkerbroek en een T-shirt. Liekje

zucht. Ze wilde maar dat Mees eens naar haar keek. Vandaag heeft ze een nieuwe, coole outfit aan. Een zwarte, strakke broek en daarboven een fuchsiaroze shirt met in het midden een knalrode lachende mond. Maar denk je dat Mees ook maar een keer haar kant opkijkt? Liekje voelt hoe ze wordt aangestoten door Anniek, haar hartsvriendin.

'Wat ligt hier?' sist Anniek. Haar vinger wijst op een van de waddeneilanden.

'Vlieland,' sist Liekje terug.

'Bedankt,' fluistert Anniek en ze schrijft opgelucht verder.

Anniek is op Job, maar ze zijn allebei te verlegen om elkaar verkering te vragen.

Wacht eens. Liekje pakt haar pen weer op. Zij kan hen wel een handje helpen. Ze scheurt een blaadje van haar kladblok en begint druk te schrijven.

> LIEVE JOB, IK BEN OP JOU.
> WIL JE MET ME GAAN? XXX ANNIEK

En dan een tweede briefje.

> LIEVE ANNIEK, IK BEN OP JOU.
> WIL JE MET ME GAAN? XXX JOB

Ze schrijft de letters keurig in blokletters. Als ze klaar is vouwt ze de briefjes op tot een klein vierkantje. Op de voorkant van het ene briefje schrijft ze *Voor Job* en op de voorkant van het andere *Voor Anniek*. Ziezo, die zal ze straks in de pauze stiekem in hun vak stoppen. Die twee kunnen haar dankbaar zijn.

Ze bijt op de achterkant van haar pen. Ze zou ook zo'n briefje aan Mees kunnen schrijven. Om hem een beetje te plagen. Denken en doen zijn één bij Liekje en ze schrijft alweer.

En dan ook nog een tweede aan Jos. Die past mooi bij Flora. Ook zo'n saai type.

Liekje gniffelt in zichzelf. Ze zal de boel in de klas eens wat op-schudden. Al die saaie stelletjes. Daan en Tineke gaan ook alweer een tijdje met elkaar. En Tim en Noes. Dat moet maar eens veran-deren. Ze kijkt de klas rond. Tineke past leuk bij Kevin en Daan bij Sara. Noes bij Vincent en Daan bij Ank.
Ze kijkt opzij naar Anniek. Die is nog helemaal verdiept in haar to-potoets, net als de meesten trouwens. Liekje begint haastig te schrij-ven en net op het moment dat Anniek haar pen neerlegt, vouwt zij haar laatste briefje.
Wat een grap! Dat wordt lachen...

In de pauze glipt Liekje stiekem de school weer in. In de deurope-ning van haar lokaal blijft ze even staan. De klas is leeg. Op de tafels liggen opengeslagen schriften en boeken. Lekker rommelig ziet het eruit. Vreemd, net alsof iedereen elk moment weer binnen kan komen. Gejaagd kijkt ze naar beide kanten de gang in. Niemand. Nu moet ze snel zijn, want niemand mag haar zien natuurlijk. Ze haalt de briefjes uit haar zak en stopt ze vlug in de goede vakken. Dan gaat ze haastig weer naar buiten. Anniek komt op haar afgerend.

'Waar was je.'

'Op de wc natuurlijk, waar anders.' Liekjes stem klinkt wat snibbig.

'Nou je hoeft niet meteen zo kattig te doen als ik je wat vraag.' Anniek draait zich beledigd om.

'Nee, sorry.' Liekje steekt haar arm door die van Anniek. 'Zullen we vanmiddag samen spelen?'

Anniek knikt.

'Met de barbies?'

Nu straalt Anniek. Ze is dol op spelen met de barbies. Gearmd wandelen ze over het plein.

Als de bel gaat, begint Liekjes hart sneller te kloppen.

'Jullie gaan een halfuurtje stillezen en ondertussen kijk ik jullie topotoetsen na.' De juf gaat achter haar bureau zitten.

De kinderen rommelen in hun vak op zoek naar hun leesboek.

Liekje kijkt steels rond. Zouden ze de briefjes al meteen ontdekken? Er gebeurt niks en iedereen verdiept zich in zijn boek. Een beetje teleurgesteld pakt Liekje haar eigen boek en slaat het open. Het duurt niet lang of Liekje is verdwenen in haar verhaal. Lezen is heerlijk. Je kunt de wereld om je heen even helemaal vergeten.

Opeens wordt de klas opgeschrikt door een luid gesnik. Iedereen kijkt. Het gesnik komt van Mees.

'Waarom…?' hikt hij. 'Waarom…?'

'Wat is er aan de hand?' Juf loopt haastig naar Mees tafel.

Mees ligt te snikken met zijn hoofd op zijn armen.

'Mees.' Juf legt haar hand op zijn hoofd. 'Ben je ziek?'

'Flohora,' hapert Mees. 'Flora heeft het uitgemaakt.'

'Hè?' Flora vliegt overeind. Ze krijgt vuurrode wangen. 'Ik heb niks gedaan!'

'Wel waar, hier, dit briefje!' Mees gooit het papiertje woedend op de grond.

Juf bukt zich, raapt het op en leest. Dan loopt ze ermee naar Flora.
'Is dit van jou?'
Flora werpt een blik op het briefje en schudt heftig haar hoofd.
'Echt niet, juf.'
'Weet je het zeker?' vraagt juf.
'Ja natuurlijk!' Flora's stem klinkt verontwaardigd.
'Wie heeft dan dit briefje geschreven?' vraagt juf en ze kijkt de klas
rond.
Het blijft onheilspellend stil. Niemand zegt iets.
'Vooruit, zo'n briefje schrijft zichzelf niet.'
Niemand durft te lachen, want jufs stem klinkt streng.
'Ik wacht!' Met haar armen over elkaar geslagen staat juf naast Mees'
tafel. Haar voet tikt geïrriteerd op de grond.
De klas blijft doodstil. Sommige kinderen kijken stiekem naar el-
kaar. Zou hij misschien…? Of zij…?
Liekje voelt zich ongemakkelijk. Ze had nooit gedacht dat Mees
zou beginnen te huilen. Ze had gedacht, ja wat had ze eigenlijk ge-
dacht? Had ze gedacht dat Mees het briefje zomaar zou geloven?
Eigenlijk niet. Ze had hem een beetje willen plagen, hem laten

schrikken. Ze kijkt naar juf. Die ziet er echt boos uit. Wat zal ze straks zeggen als ze hoort van die andere briefjes?

'Degene die het briefje heeft geschreven, kan het me na schooltijd onder vier ogen komen vertellen.' Juf loopt terug naar haar bureau. 'Mees, ga maar even een beetje water drinken voor de schrik.' De klas roezemoest. De stilte van daarnet is weg. Een paar kinderen beginnen weer te lezen, maar de meesten zitten te draaien op hun stoel en fluisteren zachtjes. Liekje zit diep over haar boek gebogen, maar ze leest niet. Ze moet denken aan het spreekwoord dat oma altijd gebruikt: 'Bezint eer ge begint.' En nog een tweede ook: 'Wie z'n gat brandt, moet op de blaren zitten.' Dat laatste is onzin natuurlijk, want niemand weet immers dat zij het heeft gedaan. Maar waarom voelt ze zich dan toch zo vervelend?

Die middag komt de een na de ander met een briefje op de proppen. Tien briefjes in totaal. Groep zes staat op zijn kop. De meeste kinderen zijn boos, alleen Anniek en Job stralen. Die zitten de hele tijd naar elkaar te knikken en te glimlachen.

Een paar minuten voor drie zegt juf: 'Ik denk dat iemand een grap heeft willen uithalen. Eerst was ik boos, maar nu denk ik eigenlijk dat diegene het niet kwaad heeft bedoeld. Maar ik wil weten wie deze briefjes heeft geschreven. Dat moet boven tafel komen. Anders gaat iedereen iedereen verdenken.'

'Misschien was het iemand uit een andere groep,' oppert Kevin hoopvol.

'Die weet toch niet waar iedereen hier zit!' werpt Noes tegen.

Juf knikt. 'Wat Noes zegt klopt. Kinderen uit de andere groepen weten niet de plaatsen van de kinderen uit deze groep. Het moet dus iemand uit deze klas zijn.' Juf laat haar blik langzaam door de klas gaan en kijkt ieder kind afzonderlijk even aan.

Liekje knippert met haar ogen, als jufs blik haar treft. Ze moet moeite doen om niet weg te kijken. Verbeeldt ze het zich, of kijkt juf wat langer naar haar?

Na schooltijd gaat ze met Anniek mee naar huis. Er komt niets van spelen met de barbies want Anniek is vol van Job. Ze kletst aan een stuk door. Over hoe mooi hij is, hoe lief, hoe aardig, nou ja, er bestaat geen leukere jongen dan Job natuurlijk.

'Hartstikke bedankt, Liek!' Ze zoent haar vriendin op haar wang.

'Wat bedoel je?' vraagt Liekje verbouwereerd.

'Jij schreef die briefjes toch?'

Liekje voelt dat ze knalrood wordt. 'Hoezo?'

'Jij was de enige die wist dat ik op Job ben en jij bent in de pauze naar binnen geweest.'

Liekje knikt langzaam en slaat haar handen voor haar gezicht. Ze voelt hoe Anniek haar arm om haar heen slaat. 'Ik vind het niet erg.'

'Maar juf wel en de anderen ook. Mees en Flora vooral. Die zijn woedend,' zegt Liekje zacht.

'Waarom deed je het eigenlijk?'

Liekje haalt haar schouders op. 'Gewoon. Ik was al klaar en ik had zin in een grap.'

'Maar dat van Mees en Flora was wel gemeen.'

'Ik wist toch niet dat Mees zou gaan huilen?' probeert Liekje zich te verdedigen.

Ze bijt op haar lip. Ze durft niet te zeggen dat ze verliefd is op Mees. Dat hoeft niemand te weten.

'Wat moet ik nou doen?' vraagt ze zielig. 'Ik durf het niet te zeggen.'

Anniek denkt diep na. 'Ik weet het,' roept ze opeens opgetogen. 'Je hoeft het ook niet te *zeggen*, je kunt het *schrijven*. Je stuurt iedereen een briefje waarin je vertelt dat jij het was en dat je er spijt van hebt. Kom op.' Ze trekt haar vriendin mee naar de werkkamer van haar ouders waar de computer staat.

En dan maken ze vijfentwintig briefjes. Voor alle kinderen en de juf natuurlijk. Dit staat erin:

Lieve ......
Gisteren kregen sommige kinderen een briefje. Vandaag krijgt iedereen er
één. Ik was het dus die ze schreef, gisteren. Wel een beetje stom, een beetje erg
stom, vind ik nu. Sorry. Ik hoop dat je niet boos bent. Ik wilde alleen maar
een grapje maken. Geen leuk grapje.
Liekje

Met plakken en knippen op de computer hebben ze in een mum
van tijd vijfentwintig briefjes. Achter 'lieve' vult Liekje de namen
van haar klasgenoten in en die van juf.
Daarna vouwen ze alle briefjes op tot keurige, rechte vierhoekjes en
Liekje schrijft ook op de voorkant de namen.
'Morgen voor schooltijd stoppen we ze in de vakken, oké?' Anniek
duwt Liekje even tegen haar arm.
Liekje knikt stilletjes.

De volgende morgen zijn Liekje en Anniek om acht uur op school.
Het schoolplein is nog leeg. De conciërge heeft de deur al openge-
daan en Liekje en Anniek glippen naar binnen. In de klas doen ze
haastig de briefjes in de vakken. Het briefje voor juf legt Liekje op
het bureau.
Als juf om kwart over acht binnenkomt, zitten Liekje en Anniek
ijverig te lezen.
'Jullie zijn vroeg,' zegt juf opgewekt.
Liekje wordt vuurrood. 'Ik was het,' zegt ze zachtjes. 'Ik eh...'
'Maar ze maakt het goed, juf!' roept Anniek. 'Ze heeft nu voor iedereen een briefje gemaakt en ook één voor u. Op uw bureau.'
De juffrouw loopt naar haar bureau en pakt het briefje. Ze vouwt
het open en leest.
Gespannen kijken Liekje en Anniek naar haar gezicht. Gelukkig, juf
glimlacht. 'Dat hebben jullie goed verzonnen,' zegt ze. 'Ik ben blij,
Liekje, dat je eerlijk zegt dat jij het hebt gedaan. Dat vind ik dap-
per.'

Die ochtend staat groep zes weer op zijn kop. Iedereen tettert opgewonden door elkaar. Totdat juf haar handen in de lucht steekt. 'Zand erover nu,' zegt ze. 'Oké?'

De kinderen knikken.

'Dat moeten we vieren.' Juf haalt een zak spekkies uit haar tas en begint uit te delen.

En als iedereen op zijn spekkie kauwt, haalt ze een boek uit haar tas tevoorschijn. 'Ik heb een nieuw boek gekocht,' zegt ze. '*Het grote geheimboek*. Er staat een verhaal in dat ik jullie wil voorlezen.' Ze slaat het boek open en begint te lezen: 'Lieve briefjes maar niet heus… Het is stil in de klas. De kinderen van groep zes…'

Van Gonneke Huizing zijn de volgende boeken verkrijgbaar:

Eten met je handen
Prik in je bil
Heksje heks speelt kat en muis
Heksje heks; oost, west, thuis best
Mes op de keel
Belofte maakt schuld
Fluiten in het donker
Slikken of stikken

Floortje is een echte snuffelaarster. Dat moet wel, als je geheimen verzamelt. Ze snuffelt in boeken en bladen, en surft op internet. Ze speurt in het rond en houdt haar oren open. Zo vindt je elke dag wel iets

DE VERSCHRIKKELIJKE SNEEUWMAN

In het Russische Kaukasusgebergte zou hij wonen: De verschrikkelijke Sneeuw- man, een bijl op zijn rug. Hij verscheen altijd tegen de avond, als de zon tegen de berg scheen, en joeg de mensen vreselijke angst aan. Maar... ze hadden niet bang hoeven zijn. Waarschijnlijk was het monster gewoon de schaduw van een houthakker tegen een kale rotswand. Kijk maar wat er gebeurt als tussen e sterke lamp en een witte muur gaat staan. Dan schrik je al van je eigen schim!

SUPERGEHEIM

Enkele jaren geleden ontdekte een kleine jongen een prehistorische grot in de buurt van het kasteel van Bruniquel in Frankrijk. De wand- schilderingen daarin zijn super- oud. Behalve die jongen en zijn vader weten maar een paar mensen waar de ingang van de grot is. De Franse regering wil niet dat er toeristen komen. Door hun adem kunnen de schilderingen worden aangetast. Ze kunnen wel foto's van de grot bekijken in het kasteel.

NET ECHT

Han van Meegeren was kunstschilder, maar werd in ons land afgekraakt. Hij verhuisde naar Zuid-Frankrijk waar hij een GEHEIM atelier had. Daar sloeg hij aan het vervalsen. Hij kon precies zo schilderen als de beroemde Johannes Vermeer en zorgde dat ze er niet te nieuw uitzagen. Hij verkocht die zogenaamde Vermeers voor veel geld aan de mensen die hem vroeger hadden afgekraakt. Zo nam hij wraak! Pas veel later merkten ze dat ze bij de neus waren genomen.

VALENTIJN

Er was eens een Romeinse jongen, Valentijn, die Christen wilde worden. Dat pikten de Romeinen niet. Ze namen hem gevangen. Van achter de tralies in zijn kerker zag Valentijn de dochter van de gevangenis- bewaarder voorbij komen. Hij werd verliefd op haar.

Helaas, van die liefde kon niets terechtkomen, want op 14 februari, in het jaar 270, werd Valentijn onthoofd...

Hij wist nog nét een geheim briefje naar het meisje te smokkelen. 'VAN JE GELIEFDE VALENTIJN' stond er op. Later kwam het in de mode om op 14 februari een geheime liefdesbrief te schrijven.

GEHEIMSCHRIFT ②

(Breek de woorden zomaar ergens af. Kun je dit lezen?)

ikh ebe engehe imeaf spra akme tjoer ihijg aatm ijee ngehe imvert ell en!

Leny van Grootel

Oplossing gsm (met trilfunctie)

'Nou jongens, wat vinden jullie ervan?' Meester Bert staat glunderend voor zijn groep. Hij heeft zojuist over het schoolkamp verteld. Over kampvuren en spooktochten en appels poffen in de as. 'Wordt het super of niet?'

'Supervet zult u bedoelen,' roept Jitske. 'Krijgen we ook een disco?'

'Alleen als jij met mij wilt dansen,' lacht meester Bert. Hij begint brieven uit te delen. 'Hierin staat alles wat je nodig hebt,' zegt hij. 'En zorg dat je fiets in orde is. Het duurt wel nog vier weken voor we gaan, maar die zijn zo voorbij.'

De zoemer gaat en de leerlingen stromen naar buiten. Iwan trekt zijn jas aan en kijkt rond. Waar is Goof gebleven? Ze zouden penalty's gaan schieten op het voetbalveld. Oefenen voor het schooltoernooi.

Iwan loopt terug naar de klas, maar daar is Goof niet meer. Vreemd. Is hij alleen naar huis gegaan?

Hij holt de school uit, de stoep op, tot hij Goof heeft ingehaald. 'Hé, we zouden toch gaan voetballen?'

'We zóuden ja, maar ik heb geen zin.' Goof schopt onverschillig een steentje weg. 'Morgen misschien…'

Iwan kijkt zijn vriend verbaasd aan. Geen zin in voetballen? Dat zou dan voor het eerst zijn. 'Ben je ziek of zo?'

'Ziek? Waarom? Mag ik eens een keer geen zin hebben?'

Ze lopen zwijgend verder. Iwan snapt het niet. Waarom doet Goof zo raar… net of ze opeens vreemden zijn?

'Gaaf hè, schoolkamp,' probeert hij ten einde raad. 'Dat wordt lachen met de meiden, 's nachts in het bos.'

'Pffff…' Goof haalt minachtend zijn neus op. 'Dat kinderachtige ge-
doe. Ik vind er niks aan.'
'Maar ik dacht…'
'Dan dacht je verkeerd. Ik vind het niks, dat hele schoolkamp niet.
Ik denk dat ik maar thuisblijf.'
'Wat! Maar Goof, dat meen je niet! Schoolkamp is het leukste van
de hele basisschool!'
'Dat vind jíj, ja. Maar ik ga, ik heb nog wat te doen.'
Goof schiet het steegje naar zijn huis in en laat Iwan staan. Hij kijkt
niet één keer om.

'… En als ik meester Bert nou eens opbel en hem alles uitleg.' Goofs
moeder strijkt vermoeid een pluk haar voor haar ogen weg. 'Dat
hoeft toch niemand te weten?'

'Nee!' Goof steekt zijn vingers in zijn oren. 'Ik ga niet voor gek staan! Ik wil het niet. Ik blijf gewoon thuis. Ik geef niks om dat schoolkamp.'

'Maar ik vind het zo jammer voor je. Zoiets maak je maar één keer mee. Laten we…'

'Nee! Hou er nou maar over op!' Goof springt op en vliegt naar zijn kamer. Hij laat zich op zijn bed vallen, lacht zenuwachtig en huilt tegelijk. Meester Bert bellen. Dat moest er nog bij komen! Hij zou nog liever verdrinken midden in de oceaan!

'Het kan me geen moer schelen, dat kamp,' zegt hij stoer tegen zichzelf. Maar diep in zijn hart weet hij wel beter. Want natuurlijk is het gaaf, vet, super. Zeker met Iwan erbij.

Iwan ja! Die was na kerstmis plotseling in de groep gekomen. Overgestapt van een andere basisschool. Het klikte meteen tussen hen beiden, ze hielden toevallig alle twee van voetbal en computeren. En nu, een paar maanden later, is het net of ze elkaar al jaren kennen, gezworen vrienden voor altijd.

Maar niet lang meer… denkt Goof met een steek van jaloezie. Iwan zal nu wel andere vrienden krijgen. Wie weet kijkt hij me na het kamp nooit meer aan.

Beneden gaat de bel en Goof hoort dat zijn moeder iemand binnenlaat. Even later voetstappen op de trap. Goof kijkt verrast op. Ook toevallig! Daar staat Iwan in zijn kamer, met natte haren van de regen.

'Hé, wat kom jij nou doen?'

'Een cd lenen. Ik wou iets downloaden, maar ik zit zonder.'

Goof doet een greep in een la en haalt er een schijfje uit. 'Nou, daar heb je er een.'

Iwan pakt de cd aan, maar maakt nog geen aanstalten om naar huis te gaan. Hij staat maar te friemelen en te frummelen en naar zijn schoenen te staren. Goof heeft het meteen door. Iwan kwam heus niet voor die cd. Dat was duidelijk een smoes. En Goof voelt al welke kant het op gaat. Wat een ellende!

'Moet je nog wat?' vraagt hij, zo bot als hij kan.

'Nee, nou ja…' Iwan haalt zijn schouders op. 'Ik eh… ik wou nog zeggen…'

'Ja, wat wou je nog zeggen?'

'Over het kamp. Als jij niet meegaat, dan moet ik alleen.'

'Hoezo alleen? Ik dacht dat we met vijfentwintig in de klas zaten.'

'Ja, maar dat is anders. Waarom wil je nou niet mee? Ik had al van alles bedacht, maar voor mij is de lol eraf, zonder jou.'

Het blijft heel lang stil. Buiten klettert de regen tegen de ramen.

'Ik vind het echt stom hoor,' zegt Iwan. 'Dat je mij laat stikken. Je weet heus wel dat ik nou alleen kom te zitten. In dat groepje van Erdal kom ik niet in, en de anderen hebben ook allemaal wel iemand. Kan ik alléén corvee lopen doen. Mooi keutel!'

Goof bijt op zijn lip. Iwan heeft gelijk natuurlijk. Maar wat moet hij zeggen. Het kán gewoon niet anders…

'Ik vind het ook stom,' zegt hij uiteindelijk. 'Want ik wíl wel mee, maar ik kán niet.'

'Hoezo? Wat is er dan?'

'Dat zeg ik niet. Het is geheim. Het gaat niemand iets aan.'

'Maar wij zijn toch vrienden?'

'Precies. Daarom juist!' Goof knijpt zijn kussen bijna fijn. 'Als ik het jou vertel, wil jij mijn vriend niet meer zijn. En ga nou maar. Je moest toch computeren, of niet soms?'

Maar Iwan laat zich zo snel niet afschepen. 'Vrienden hebben geen geheimen,' zegt hij. 'Of vertrouw je me niet?'

Goof zegt niets. Hij staart naar een vlieg die zigzaggend door de kamer scheert.

Iwan draait zich om en loopt naar de deur.

'Nou, dan bekijk je het maar.' Kwaad ritst hij zijn jas dicht.

Goof krijgt tranen in zijn ogen. Vrienden hebben geen geheimen… maar zíjn geheim is zo érg. Erger dan in het geheim verliefd zijn, of stiekem je spaargeld opsnoepen of sigaretten roken als niemand het ziet. Erger dan alle andere geheimen bij elkaar. Maar als Iwan nu wegloopt, zijn vriend niet meer is… dat is óók erg.

En dan flapt hij het eruit, voor hij het zelf beseft. In één adem.

'Ik zal je zeggen waarom ik niet mee kan, als je dat dan per se wilt weten. Omdat ik in mijn bed pis. Daarom!'

Bzzz…. De vlieg draait een rondje om de lamp, met zijn irritant gebrom. Goof doet zijn ogen dicht. Nu zal Iwan wel de deur uitrennen. Wie wil er nou bevriend zijn met een beddenzeiker? Met zo'n stinker als hij?

Maar Iwan loopt niet weg. Nee, het is veel erger. Iwan begint te lachen, te gieren van de pret. 'Plas je in je bed?' roept hij. 'Niet te geloven! Hihihi!'

En dan wordt Goof kwaad. 'Denk je dat het leuk is?' roept hij uit. 'Rot op, man! Rot op!'

Maar dat is Iwan niet van plan. Hij ploft naast Goof op bed.

'Waarom denk jij, dat ik van school ben veranderd? Zomaar voor de lol? Nee, nou zal ik jou eens een geheim vertellen. Ik deed het óók, in bed plassen. En niet zo'n klein beetje. Ik werd er gek van.'

'Dat meen je niet!'

'Dat meen ik wel. Ik ben verraden, door wie, dat snap ik nog steeds niet. Misschien dat iemand gezien heeft dat mijn moeder luiers haalde bij de apotheek of zo. In elk geval, ze gingen me pesten.

"Mister Pamper", zo noemden ze mij. 'Of "het gele gevaar". Ik had geen leven.'

'Dan snap ik niet dat jij wél meegaat op kamp,' zegt Goof. 'Dat je dat durft.'

'Ja, want bij mij is het over. Al minstens een jaar, alleen… ze bleven me toch pesten. Pff, ik was blij dat ik weg was van die school.'

'Jee zeg!' Goof moet het even allemaal verwerken. 'Dan heb je een rottige tijd gehad! Maar… hoe is het overgegaan? Zomaar vanzelf?'

'Nee. Ik heb een soort training gedaan. Moet jij ook doen.'

'Ik kijk wel uit. Met een plaswekker zeker.' Goof haalt zijn neus op. Alsof zo'n wekker nog viezer is dan drie poepluiers bij elkaar. 'Niks voor mij. Ik moet geen elektrische draden aan mijn onderbroek.'

'Elektrische draden? Man, je loopt achter! Het gaat met een zendertje, draadloos. Ik vond het wel geinig, ik was met een paar maanden droog!'

'Mmmm, als dat echt zo is…' Iwan voelt een sprankje hoop, ergens, diep van binnen. 'Maar dan is het nu toch te laat voor het kamp.'

'Misschien wel. Maar ik ken nog wel een paar trucjes. We moeten dus zorgen dat we naast elkaar komen te liggen op de slaapzaal. En dan…'

Na een half uur is Goof overtuigd. Hij kan mee op kamp. Als alles gaat zoals Iwan heeft gezegd, zal niemand iets merken. Zelfs meester Bert niet. Gewoon een kwestie van slim zijn. En van een GSM met trilfunctie…

'Jongens, ik neem nog een chipje!'

Iwan duikt in zijn tas en haalt er een grote zak chips uit.

'Jij met je chips!' roept Erdal uit de verste hoek. 'Hoeveel zakken heb je eigenlijk bij je?'

Iwan knipoogt naar Goof.

'Voor elke avond één,' zegt hij. 'Dit is de laatste. Wil je ook wat?'

Maar niemand heeft zin om voor een paar chipjes de slaapzak uit te komen. Ze zitten al vol met friet en worstjes, ijs en snoep.

Veel praatjes hebben ze óók niet meer, de jongens van groep acht. Ze hebben de laatste nachten niet veel slaap gehad.

Knisperdeknisper, doet de zak met chips, en als Iwan zijn mond vol stopt is het gekraak in de hele zaal te horen. Nu komt Goof in actie. Met zijn tenen haalt hij de luier, die hij onder in de slaapzak heeft verstopt, naar boven. Ziezo. Broek naar beneden, pamper om… Snel kijkt hij om zich heen. Niemand heeft iets gemerkt. Het plastic laagje ritselt altijd een beetje, maar dat viel nu niet op door het geknisper van de chips. Goede truc!

'Heb je de GSM?' fluistert Iwan hem toe.

Goof knikt. De telefoon zit veilig achter zijn hemd. Om half drie in de nacht belt zijn moeder hem op. Net als de vorige nachten. Niemand die het hoorde, want het alarm stond op trilfunctie. Door het trillen werd Goof wakker, verbrak de verbinding, en ging plassen. Een prima plan en het was de hele week goed gegaan. Zijn pyjamabroek was maar één keer een beetje nat geworden. Maar daar had zijn moeder óók iets slims op bedacht. Ze had twee dezelfde pyjama's gekocht. Hij kon dus meteen een droge schone broek aantrekken en die andere deed hij in een plastic zak. Geen haan die ernaar kraaide.

Goof draait zijn hoofd net lekker in het kussen om te gaan slapen, als de deur van de slaapzaal piepend opengaat.

Tadaa! Fleur en Loes komen binnen, proestend en gniffelend op hun blote voeten. 'Slapen jullie al, luilakken? Kijk eens wat we hebben!'

De jongens gaan één voor één recht zitten, en zien hoe ook de andere meiden binnensluipen. Ze hebben flessen cola en sinas.

'Wauw! Hoe zijn jullie langs meester Bert gekomen?' roept Erdal uit.

'Tsss… meester Bert ligt te snurken!' snuift Fleur. 'Die was helemaal total loss na de speurtocht!'

'Ja, logisch! Hij is vijf kilometer omgelopen om jullie te zoeken!' lacht Iwan. 'Echt iets voor meiden, om te verdwalen.'

'Pfff…' roept Fleur. 'Maar wij hebben met touwtrekken gewonnen.'
'Ja, omdat jullie met méér zijn!'

'Ssst! Niet zo hard. Wie wil er cola?' Jitske tovert een stapel bekertjes te voorschijn en gaat de bedden langs. Om te beginnen bij Goof, die het dichtst bij de deur ligt.

'Goofie eerst, hè?' roept Ivo. En dan, heel flauw: 'Goof is op Jitske, Jitske is op Goof!'

'Nou én!' Jitske gooit Ivo een bekertje naar zijn hoofd. 'Mag dat soms niet? Liever op Goof dan jou, stommerik!'

Goof krijgt een kleur als een biet. Gelukkig maar dat niemand het kan zien in het donker. Ja, het is waar. Hij vindt Jitske écht heel leuk. Maar verkering vragen, dat heeft hij nooit gedurfd. Dat was iets voor andere jongens. Jongens die niet…

Maar nu zegt Jitske het zelf! Goof knijpt zijn bekertje bijna stuk van blijdschap. Iwan had gelijk. Schoolkamp is het mooiste van de hele basisschool!

'Cola of sinas?' Fleur en Loes staan bij zijn bed. Goof aarzelt. Normaal gesproken drinkt hij niet voor hij gaat slapen. Dat is vragen om moeilijkheden. Maar ach… het is de laatste avond. De hele week is het goed gegaan. Waarom zou hij niet gewoon meedoen?

'Heb je geen bier?' zegt hij stoer. 'Dan maar cola.' Hij houdt zijn beker omhoog. En als meester Bert een uur later komt om de meiden naar hun eigen zaal te jagen, heeft hij drie bekers op.

Eigenlijk zou hij nu eerst even moeten gaan plassen. Maar de helft van de jongens staat al voor de wc. En hij wil er niet tussen gaan staan met die luier aan.

'Hoe laat is het?' fluistert hij naar Iwan, die al bijna ligt te maffen. Die kijkt op zijn verlichte wijzerplaat. 'Tien minuten over één.'

O dan… Goof haalt opgelucht adem. Over anderhalf uur belt zijn moeder hem al weer wakker. Zo lang moet het uit te houden zijn.

Gerustgesteld valt Goof in slaap. In zijn droom wint hij de voetbalcup, die vol met cola zit.

Maar helaas. De mooie droom wordt wreed verstoord als Goof rillend wakker schrikt. Alles is nat. Drijfnat. Zijn ondergoed, pyjama, zijn slaapzak, zijn matras. De telefoon ligt te trillen op de vloer, wie weet hoe lang al. Hij is er dwars doorheen geslapen.

Goof slaat radeloos met zijn vuisten op zijn kussen. Nu komt het toch nog uit. Nu staat hij toch voor gek, door zijn eigen stomme schuld!

Minutenlang blijft hij stil zitten, hij weet niet wat hij moet doen. Dit is niet op te lossen met een schone pyjama. Dit is het einde. Wat zullen ze hem uitlachen! Ivo, Erdal, Fleur en Loes. En Jitske…

Brrr, het is koud, in dat natte goed. Goof gaat rechtop zitten en maakt zijn sporttas open. Het enige wat hij op dit moment kan bedenken is een schoon T-shirt zoeken en een trainingsbroek. Waar zit dat duffe ding?

'Hé, Goof? Wat doe je?' Iwan is wakker geworden. 'Zoek je iets?' fluistert hij.

Goof antwoordt niet, maar Iwan snapt het al. 'Is het erg?'

'Zeiknat,' fluistert Goof terug. 'Alles.'

Het blijft lang stil. Alleen Ivo snurkt een beetje, en heel hoog in de lucht komt een vliegtuig over. Dan kruipt Iwan uit zijn slaapzak.

'Wacht maar,' zegt hij. ''t Komt goed. Doe net of je slaapt.' Hij sluipt op zijn tenen naar de deur, blijft even staan en komt terug. 'Je scheldt me verrot,' zegt hij, 'zo hard je kunt. Hoor je!'

En weg is hij. Goof blijft verbijsterd zitten. Wat is Iwan van plan? Wat bedoelt hij met: 'Je scheldt me verrot?'

Het duurt een eeuwigheid. Dan klinkt er gestommel op de gang. Iwan komt binnen. Goof gluurt door de spleetjes van zijn ogen en ziet hem als een zwarte schaduw op zich afkomen. Maar wat kletst hij toch, die Iwan?

'Corvee,' roept die, 'afwassen! Waar is de wasbak?'

Een paar jongens worden wakker en beginnen te giechelen.

'Wat is er met hém?' roept iemand.

'Hij droomt!'

'Nee, hij slaapwandelt!'

Iwan trekt zich er niets van aan.

'Kopjes, borden, lepels,' roept hij. 'In de wasbak. En nu water! Hupsakee!'

Het volgende moment voelt Goof een ijskoude straal water in zijn nek. En dan plenst de inhoud van een volle jerrycan over zijn bed. Als het al nat was, dan is het nu doorweekt.

Dan pas dringt tot Goof door wat de bedoeling is van de hele vertoning.

'Hé, mafkees!' roept hij, zo verontwaardigd als hij kan, 'kijk eens uit wat je doet! M'n slaapzak! Houd op, man!'

Maar Iwan giet lustig door, tot de jerrycan helemaal leeg is.

'We moeten hem wakker zien te krijgen,' roept Erdal. 'Straks doet ie het nóg een keer.' Hij springt uit zijn bed en pakt Iwan bij zijn schouders. 'Iwan, wakker worden. Hoe-oe! Iwan!'

Iedereen is intussen klaarwakker en giert het uit.

'De afwas is klaar, Iwan!'

'Goed gedaan hoor!'

'Hè? Wat? Afwas?' Iwan doet net of hij langzaam bij bewustzijn komt.

'O jee,' zegt hij dan. 'Had ik het weer? Ja, dat doe ik soms, slaapwandelen. Sorry Goof! Ik kon er niks aan doen. Echt niet!'

Die arme Goof staat intussen in een plasje water te trillen van de kou. 'Wat moet ik nou?' bibbert hij? 'Ik heb niks meer droog.'

Onmiddellijk wordt hij bedolven onder droge handdoeken, truien en broeken. En Iwan gaat de meester waarschuwen, die een droog matras regelt. Heerlijk! Alleen, het is bijna de moeite niet meer, want als ze eindelijk allemaal weer rustig en warm in bed liggen, is het buiten al bijna licht. De eerste vogels beginnen te fluiten...

Op weg naar huis fietsen Goof en Iwan naast elkaar. Pas als ze op een veilig afstandje van de anderen zijn, zegt Goof: 'Bedankt hè, voor vannacht. Je hebt me gered. Hoe kwam je toch op het idee?'

Iwan grinnikt. 'Ach,' zegt hij bescheiden. 'Ik heb nou eenmaal ervaring in die dingen. Je moet altijd een truc achter de hand hebben. Maar kom op man, doorfietsen. Anders halen de meiden ons nog in. Of... is dat juist je bedoeling?'

Goofs antwoord gaat verloren in de wind, maar de blik in zijn ogen verraadt genoeg. Iwan haalt zijn schouders op, schudt zijn hoofd en zet de versnelling een tandje terug.

NASCHRIFT

Goof zit nu op de havo en het gaat goed. Na het schoolkamp is hij een training gaan volgen. Het duurde wel even, maar na een half jaar was ook hij van zijn plasprobleem af. Iwan is nog steeds zijn beste vriend, maar met Jitske is het uit. Goof is nu op Hanna (brugklas 1c).

Van Leny van Grootel zijn de volgende boeken verkrijgbaar:

Annabella van Artis
Gilian Alleen
Schatten van groep zeven
Topspin
Ninkie Stinkie Krukkenbus
Een tijger voor Tatoe

Mieke van Hooft

De vaas

Esmee, Tijmen en mama steken alledrie tegelijk hun hand op en zwaaien naar buurvrouw Alie die net in haar autootje is gestapt. Alie draait het raampje naar beneden. Ze heeft haar blote jurk al aan en is ook al helemaal ingesmeerd met zonnebrandcrème. Haar gezicht glimt als een opgepoetst appeltje.

'Nou, dag allemaal!' roept ze. 'Zorg goed voor mijn visjes en mijn plantjes!'

'Doen we!' roept mama terug. 'Stuur een kaartje!'

Esmee kijkt opzij. Mama ziet zo bleek. Alsof ze ook wel een weekje zon en zee kan gebruiken!

Luid toeterend rijdt Alie de straat uit.

'Die heeft er zin in,' zegt Tijmen.

Ze zwaaien totdat het autootje de hoek om is.

'Hè, hè,' zucht mama. Het klinkt moe.

'Ik ga nog even voetballen,' zegt Tijmen. Hij stopt zijn handen in zijn zakken en wil weglopen.

Mama grijpt zijn arm. 'Ik kruip even in bed. Volgens mij krijg ik een griepje. Ik wil graag dat jij en Esmee nog wat boodschappen voor me doen.'

'Moet dat nu eerst?' Met tegenzin blijft Tijmen staan.

'Niet éérst,' antwoordt mama. 'Maar wel vóór elf uur.'

'Laten we het dan maar eerst doen,' stelt Esmee voor. 'Want ik wil graag nog een poosje computeren.' Ze pakt haar moeders hand. 'Kruip jij maar lekker onder de dekens, mam. Heel veel mensen hebben griep heb ik gehoord.'

Mama knikt. 'Ja. Vervelend. Hopelijk is het morgen over.'

Maar de volgende dag is het alleen maar erger. Mama heeft flink
koorts en hoest en proest en niest alsof ze een record wil verbreken.
Gelukkig hebben Esmee en Tijmen vakantie dus vertroetelen ze
haar met uitgeperste sinaasappels en beschuitjes met honing.
'Moeten we de dokter niet bellen?' vraagt Tijmen bezorgd. Hij staat
met Esmee naast mama's bed en hij vindt het maar moeilijk, zo'n
zieke moeder.
'Griep moet je gewoon uitvieren,' zegt mama schor. 'Geef me nog
maar een tabletje en een glas water. En maak je niet druk, lieverd. 't
Komt echt goed.' Ze wil net weer terugvallen in de kussens als ze
iets bedenkt: 'De plantjes van Alie. En de vissen. Kunnen jullie daar
voor zorgen? En de post moet uit haar brievenbus worden gehaald.
Doen jullie dat?'
'Doen we!' belooft Esmee. 'Zeg maar waar de sleutel is.'

Het is gek om in Alies huis rond te lopen terwijl Alie er zelf niet is. Het voelt eigenlijk wel een beetje spannend, alsof er iets gebeurt wat niet hoort.

Tijmen en Esmee willen allebei voor de vissen zorgen en grijpen tegelijk naar het busje voer.

'Ik wil het doen!' zegt Esmee bits. 'Geef jij de planten maar water.'

'Ik zou niet weten waarom,' zegt Tijmen. 'Vissen voeren is veel leuker.'

'Laten we het dan om de beurt doen,' stelt Esmee voor. 'Dan zorg ik vandaag voor de vissen en dan mag jij het morgen doen.'

Tijmen pruttelt nog een beetje, maar pakt dan toch de gieter uit de vensterbank. Langzaam geeft hij alle planten een plons water. Af en toe kijkt hij om naar Esmee die met een vinger in de vissenkom roert. 'Waarom doe je dat?' vraagt hij.

'Wàt?'

'Met je vinger in het water.'

'Moet ík toch weten!'

Ineens, hij weet niet hoe het komt, raakt Tijmen met de gieter een vaas die op een laag tafeltje staat. Met een klap valt de vaas op de grond. In drie stukken. Tijmen slaakt een kreet en een straal water schiet uit de gieter over zijn schoenen.

'Joh!' Met wijd opengesperde ogen staart Esmee naar de kapotte vaas. 'Wat doe je nou?'

Tijmen zet de gieter weg en raapt de stukken aardewerk op. Hij voelt zich bibberig van schrik. 'Ik kon er niks aan doen,' zegt hij. 'Het… het gebeurde gewoon!'

'Natuurlijk niet! Je hebt hem omgegooid!'

'Ja! Maar toch niet expres!'

Zwijgend kijken ze naar de scherven. 'Misschien kun je de stukken lijmen,' zegt Esmee na een poosje. 'Het zijn er maar drie en ze passen precies.'

Tijmen knikt. Hij ziet er bedrukt uit. 'Zou het een kostbare vaas zijn? Stel je voor: misschien is het wel een antieke.'

Esmee haalt haar schouders op. Ze kijkt naar de vissenkom. De goudvissen zwemmen zwierig rond, maar ze vindt het ineens niet leuk meer om naar hen te kijken.

'Laten we de scherven maar mee naar huis nemen,' stelt ze voor.

Ze schrikken allebei als de klok aan de muur galmend slaat.

Op Tijmens kamer proberen ze de stukken te lijmen. Het lukt aardig maar het is overduidelijk te zien dat de vaas gebroken is geweest. Esmee zet haar bril af. 'Zelfs zonder bril kan ik het zien,' zegt ze. 'We kunnen het nooit geheimhouden voor Alie.'

'Maar ík ga het niet zeggen hoor!' Tijmens stem klinkt alsof hij bijna moet huilen. 'Ik zet die vaas gewoon terug. Of ik zet hem op een andere plek waar het een beetje donker is. Dan valt het misschien niet op.'

'Wil je dan dat ík het zeg?' vraagt Esmee.

Wild schudt Tijmen met zijn hoofd. Het liefst zou hij in een hoekje onder zijn bed willen kruipen. 'Niks zeggen! Ook niet tegen mama!'

Esmee staat op. Ze heeft vaak ruzie met Tijmen. Maar nu zwemt haar hart rond van medelijden met hem. 'Ik ga even bij mama kijken,' zegt ze zacht. 'Misschien heeft ze wat nodig.'

Vijf dagen later is mama weer een stuk opgeknapt. De koorts is gezakt en af en toe is ze even uit bed. Maar ze komt nog niet buiten en daarom zorgen Esmee en Tijmen nog steeds voor de vissen en de planten van de buurvrouw.

De gelijmde vaas is al een paar keer van plaats gewisseld. Tijmen zoekt steeds naar een plekje waar de scheuren het minst opvallen. Ook vandaag staat hij er weer mee in zijn hand terwijl Esmee de post op een keurig stapeltje in de boekenkast legt. Ze zucht als ze naar Tijmen kijkt. 'Zet hem nou gewoon op het tafeltje waar hij hoort,' zegt ze. 'Je kunt toch niet zomaar iets verzetten in het huis van een ander!'

'Ja, maar…' Met hangende schouders zet Tijmen de vaas weer op een andere plek.

Ze kijken allebei op als er voor het huis een auto stopt. Esmee loopt naar het raam. 'Daar is Alie al!' zegt ze verrast. 'Ik dacht dat ze pas morgen thuis zou komen! Moet je zien hoe bruin ze is!' Ze loopt naar de voordeur en trekt hem open.

Met bonkend hart blijft Tijmen in de kamer staan. Veel liever zou hij door de achterdeur verdwijnen.

Vanuit de gang klinkt het opgewonden geschetter van de buurvrouw. Tijmen hoort alleen maar kreten: 'Heet! Fantastisch! Verbrand! Zandvlooien! Kwallen! Heimwee! Thuis! Heerlijk!'

Ineens staat Alie in de kamer. Ze is inderdaad hartstikke bruin. En haar haren zijn wit in plaats van blond. 'Dag Tijmen!' groet ze stralend. 'Wat hoor ik nou? Hebben jij en Esmee voor mijn plantjes gezorgd? Wat naar dat jullie mama ziek is. Ik ga meteen bij haar kijken.' Ze draait zich om. Het tasje dat aan haar schouder hangt, zwiert rond. Het raakt precies de vaas die door Tijmen op het hoekje van het dressoir is gezet. Met vuurrode gezichten zien Tijmen en Esmee hoe de vaas op de grond klapt en in tientallen stukken uit elkaar spat.

Alie slaakt een gilletje. 'Hè bah!' roept ze. 'Ik schrik me naar! Hoe kan dat nou? Die vaas staat toch altijd op een andere plek?'

Tijmen buigt zich voorover om de scherven bij elkaar te rapen. Wat moet hij nou doen...?

'Laat maar liggen!' roept Alie. 'Dat ruim ik straks zelf wel op. Geeft niks. Eerlijk gezegd ben ik blij dat dat ding kapot is, ik vond hem foeilelijk!'

'Echt?' vraagt Tijmen, opkijkend.

Alie steekt haar tong uit. 'Ik kreeg hem ooit van een oude tante. Ik ben blij dat ik er vanaf ben!'

Tijmen gluurt naar Esmee. Die tuurt naar het plafond en bijt op haar lip.

'Kom!' zegt Alie. Ze slaat een arm om Tijmen en Esmee heen. 'Ik wil eerst bij jullie moeder gaan kijken!'

Van Mieke van Hooft zijn onder andere de volgende boeken verkrijgbaar:

Beroemd
Het doorgezaagde meisje
Geen geweld
Het gillende jongetje
Hier waakt de goudvis
Het grote boek van Sebastiaan
Het prijzenmonster
Roza je rok zakt af
Straatkatten
Stamp stamp olifant
De tasjesdief
De suikersmoes
Zwijgplicht
De lachende kat

Anneke Wiltink

Het meidenfeest

Aan het einde van de pauze rende Timo naar de wc. Juf had al geroepen dat ze weer begonnen, dus hij moest opschieten.

Hij deed net het haakje op de deur toen Jasper en Yimin binnen kwamen.

'Timo lijkt wel een meid!' hoorde hij Jasper aan de andere kant van de deur zeggen.

Hij probeerde te stoppen met plassen, zodat hij hen beter kon horen, maar dat lukte niet.

'Ja,' antwoordde Yimin. 'Wie gaat er nou met tien meisjes naar het zwembad.'

Ze bedoelden het feest van Flos! Zijn beste vriendin sinds ze in de zandbak speelden. Ze was al weken over haar zwemfeest aan het opscheppen.

'Wat een watje,' ging Jasper verder. 'Is hij verliefd of zo?'

Dat nooit! Hij hóórde het ze al zeggen: 'Timo is op Flos. Timo is op Flos.' Nou, hij ging nog liever dood dan dat ze het door hadden.

Hij sprong zo snel de wc uit dat de deur met een klap tegen de muur smakte. 'Ik ga helemaal niet!' riep hij.

Yimin en Jasper staarden hem aan.

'Je denkt toch niet dat ik naar dat meidenfeest ga? Ha! Ik zie mezelf al zitten: die stomme meiden doen niets anders dan kakelen! Het lijken wel kippen in een hok. Nee, erger nog! Het zijn een stel mislukte geiten. En dan dat gedoe over die poppen van ze. En…'

'Speel jij niet meer met Flos dan?' viel Jasper hem in de rede.

'Welnee!' riep Timo. Hij kruiste zijn vingers in zijn broekzak. Eén klein leugentje maar. 'Vroeger wel, maar nu niet meer.'

'Nou, goed dan,' zei Yimin. 'Ga je vanmiddag mee vissen?'

Terug in de klas bedacht hij pas dat hij nu goed in de nesten zat. Hij had nog nooit een verjaardag van Flos overgeslagen. En nu wilde hij dat al helemáál niet. De laatste weken was alles anders. Hij dróómde over haar. Hij... Maar ze mochten er niet achter komen. Ze zouden hem geen seconde meer met rust laten als ze het wisten. Jasper zou er een liedje op maken met als titel *Timo gaat zoenen*. Of nog erger: een stukje in de schoolkrant: *Timo in tranen om Flos*. Verschrikkelijk! En dan zou Flos het ook horen en... zijn oren voelden ineens aan als gloeiende lantarentjes. Hij ging snel aan zijn tafeltje zitten en boog zich over zijn rekenschrift.

'Taak vier,' zei juf. 'Som één. Begin maar.'

Timo staarde naar de bladzij. *Acht keer twaalf.* Hij moest iets verzinnen om morgen stiekem naar het feest te kunnen gaan. Het idee dat hij er niet bij zou zijn! Ze kón gewoon niet zonder hem jarig zijn. En bovendien: haar feesten waren ieder jaar de beste van alle ver-

jaardagen. Nu hij er goed over nadacht, geloofde hij dat ze het zelfs wonnen van die van hem. Bijna, want op zijn verjaardag kreeg hij natuurlijk wel alle cadeaus.

Acht keer twaalf. Hij beet op zijn pen. Aan het tafeltje voor hem floot Flos door het gat in haar voortanden. Hij bleef zachtjes zitten luisteren. Dat gat was niet zomaar een gat. Eén voortand was in haar kaak blijven steken en weigerde omlaag te zakken. Best vervelend, maar zij trok zich daar niets van aan. Een compleet muziekstuk kon ze daarmee spelen. Dat was zo mooi, niemand anders kon dat.

Om twaalf uur pakte Flos een grote stapel blauwe enveloppen uit haar tas en deelde haar uitnodigingen rond.

'Omdat ik tien word, mogen er tien komen,' zei ze slissend.

Timo glimlachte in zichzelf: zo sprak ze altijd.

Ze wapperde met haar uitnodigingen en zwaaide haar lange blonde haar naar achteren. Het leek wel van goud. Hij kon zijn ogen er bijna niet vanaf houden, maar ineens zag hij hoe Jasper naar hem keek en Yimin aanstootte. Snel deed hij of hij iets in zijn laatje zocht en stak zijn hoofd onder zijn tafeltje.

'Hier, Tiem,' hoorde hij naast zich. Zij was de enige die hem zo noemde. Hij kwam langzaam overeind en probeerde te verzinnen wat hij moest zeggen terwijl ze naar hem grijnsde en hard langs haar voortand floot.

Hij pakte de envelop aan. Waarom had hij zijn grote mond niet gehouden in de wc? Hoewel… het was maar goed dat hij Jasper en Yimin op een dwaalspoor had gezet. Vanaf de andere kant van de klas zaten ze hem als een stel waakhonden aan te staren.

'Dank je,' mompelde hij tegen Flos zonder haar aan te kijken.

Ze had natuurlijk meteen in de gaten dat er iets mis was, want ze vroeg: 'Je komt toch wel?'

'Tuurlijk.' Hij stopte de envelop in zijn zak. Hij zou wel iets verzinnen.

Na het vissen fietsten Jasper en Yimin met hem mee naar huis.

'Morgen weer?' riep Jasper bij Timo's voordeur.

'Nou…' aarzelde Timo. Morgen was het feest. Hij sprong van zijn fiets, staarde naar zijn trappers en probeerde een smoes te verzinnen.

'Morgen kun je niet,' klonk het ineens naast hem. Het was zijn moeder die achter de rozenstruiken opdook. 'Dan ga je naar Flos!'

'Ja, nou,' zei Timo weer. Hij keek van Jasper en Yimin naar zijn moeder en verzon snel: 'Ik ben niet uitgenodigd.'

'Niet?' riep zijn moeder.

'Nee,' zei hij hard, zonder haar aan te kijken. Als ze er nou maar over ophield.

'Morgen twaalf uur in de haven?' Yimin trok zijn voorwiel op en zette aan.

'Oké,' zei Timo, tegelijk met Jasper.

'Heb je ruzie met Flos?' vroeg zijn moeder zodra de anderen weg waren.

Hij deed zijn mond open om alles op te biechten, maar de woorden wilden niet langs zijn stembanden. Hij moest oppassen. Straks had ze alles door: daar was ze heel goed in.

Hij haalde zijn schouders op. 'Gewoon.'

De volgende dag schrok hij vroeg wakker. Flos is jarig, was het eerste wat hij dacht.

Bij het tandenpoetsen sprak hij tegen zijn spiegelbeeld en zei: 'Je verzint wel wat.' Hij knikte tegen zichzelf en zijn spiegelbeeld knikte mee. Het zei altijd hetzelfde als hij. Dat was wel makkelijk: zo kwam je niet voor verrassingen te staan.

Op zijn bureau stond het cadeau voor Flos al klaar. Het was postpapier met paarden en een set gelpennen in vierentwintig kleuren, ingepakt in zelfgemaakt pakpapier. Hij had het hele jaar plaatjes van paarden gespaard en die op een groot wit vel geplakt. Anders was het net als alle andere cadeautjes die ze kreeg en dat wilde hij niet.

Hij nam het pak meteen mee naar beneden: het moest straks ongezien naar Flos.

'Mooi, zeg!' riep zijn moeder zodra ze hem zag. 'Ga je tóch?'
'Nee.' Hij pakte een boterham en stapelde de jam hoog op.
Zijn moeder deed haar mond open om door te vragen, keek naar zijn gezicht en zei niets. Zelfs niet van de jam. Blijkbaar was de boodschap overgekomen.

Zodra zijn moeder naar de tuin ging, rende hij naar de telefoon en draaide het nummer van Yimin.
'Ik kan vanmiddag niet vissen,' riep hij in de hoorn.
'Hoezo niet?' vroeg Yimin meteen wantrouwend.
'Ik moet mijn moeder helpen, in de tuin. Enne… ik moet mijn ka-

mer opruimen…' Timo hoorde zelf wel hoe slap het allemaal klonk.
'Hoe laat kan je wel?' vroeg Yimin. 'Dan wacht ik op je.'
Dat bracht Timo op een geweldig idee. Als ze nu eerst gingen, was
hij nog op tijd voor het feest. En dan kon hij vanuit de haven door
naar Flos. 'Nu meteen?'
'Mooi,' antwoordde Yimin. 'Ik haal je zo op.'
'Nee!' riep Timo. Als zijn moeder zich er weer mee ging bemoei-
en… 'Ik moet nog even weg. Ik zie je wel in de haven.'
'Ook goed.'
Onderweg verstopte Timo het cadeau voor Flos achter een prullen-
bak. Hij liep er tien keer langs om zeker te zijn dat het echt niet
vanaf de straat te zien was. Toen hij tevreden was, reed hij door naar
de steiger.
'Gaaf dat je gekomen bent,' zei Yimin. 'Jasper kon ook al niet.'
'Ik moet wel om twaalf uur thuis zijn,' zei Timo.
'Echt?' vroeg Yimin teleurgesteld.

Om vijf voor twaalf gooide Timo zijn emmer leeg. 'Neem jij die
voor me mee?' vroeg hij aan Yimin. 'Ik moet gaan.'
'Ik rijd wel even mee,' zei Yimin. 'In mijn eentje is er niks aan.'
'Maar…' begon Timo. Hij probeerde te glimlachen en graaide alle
spullen zo snel mogelijk bij elkaar. Over vijf minuten begon het
feest. Hij rekende uit hoeveel te laat hij zou komen: als Yimin mee-
reed kostte dat minstens tien minuten extra om naar de prullenbak
op en neer te racen.
'Schiet je op?' riep hij vanaf zijn fiets naar Yimin.
De hele weg zond hij schietgebedjes naar zijn moeder: als ze nou
maar niet in de tuin stond.
Het geluk was met hem. Bij zijn huis was het stil en Yimin fietste
meteen door. Timo was zo opgelucht dat hij hem nariep: 'Morgen-
ochtend weer?'
'Oké!'
Zodra Yimin uit het zicht was, scheurde hij in de hoogste versnelling
terug naar de prullenbak.

Een kwartier te laat sprong hij met het cadeau onder zijn arm bij de voordeur van Flos van zijn fiets. Het leek wel of ze op de uitkijk had gestaan, want ze zwaaide de deur meteen open en lachte hem vrolijk toe met haar grote voortand. In haar groene ogen dansten de bruine vlekjes.

'We dachten al dat je niet meer kwam!' riep ze.

'Tuurlijk wel,' zei hij stoer. 'Gefeliciteerd.' Hij duwde het pak in haar hand.

Ze maakte het papier voorzichtig open.

'Mooi, zeg!' riep ze blij. Voor hij in de gaten had wat er ging gebeuren zoende ze hem al op zijn wang. Daar had hij even niet op gerekend. Zijn hoofd veranderde op slag in een feestballon.

'Welkom!' riep de moeder van Flos vanuit de gang.

De woonkamer zat stampvol. Het leek wel of alle meiden van de klas op de banken hingen en een wedstrijd deden wie het hardst kon praten.

Flos pakte zijn hand en trok hem mee naar de stereotoren.

'Zie je nou wel?' zei ze tegen een jongen achter het cd-rek. 'Ik zei toch dat Tiem me nooit zou laten zitten.'

De jongen kwam langzaam overeind. Zwarte krullen, lang lijf.

'Jasper!' riep Timo.

'Ja,' zei Jasper. Hij grijnsde naar de punt van zijn gympen.

'Wat doe jij nou hier?'

'Gewoon.' Jasper haalde zijn schouders op. 'Zelfde als jij.'

'Goed plan, hè!' riep Flos. 'Mijn moeder zei dat ik nóg een jongen moest uitnodigen. Anders ben jij alleen maar met meisjes.'

Timo staarde Jasper aan. 'Timo lijkt wel een meid.' Hij hoorde het Jasper weer zeggen. Alleen maar omdat hij naar het feest van Flos zou gaan! En nu…

'Dat je gekomen bent!' riep hij tegen Jasper. 'Wat een watje ben jij!'

'Je bedoelt jezelf, zeker,' zei Jasper meteen.

'Nou zeg!' riep Flos. 'Waar sláát dit op! Als jullie geen zin hadden om te komen, wat doen jullie hier dan?'

'Hij…' begon Jasper.

'Ik…' zei Timo. Ineens snapte hij het. Jasper was natuurlijk zelf op Flos! En nu probeerde hij haar in te pikken. Dat hij dat niet eerder gezien had! Maar dat ging mooi niet door! Flos was zíjn vriendin. Al sinds de zandbak. Maar nu moest hij snel zijn, voordat Jasper…

'Ik kom voor Flos,' zei Timo snel, 'want ik… ik…'

Hij kneep zijn handen samen. 'Ik ben verliefd,' wilde hij zeggen.

''t-Is-aan,' gooide hij eruit.

Zijn vingers schoten bijna in een kramp. Wat had hij nou gezegd? Uit zijn ooghoeken zag hij hoe Flos zich met een ruk naar hem toe draaide. Nu zou je het hebben.

'Tisaan?' herhaalde Jasper. Hij zag er ineens uit als een vis op het droge.

Timo probeerde te slikken. Al had hij er nieuwe flippers mee kunnen verdienen, hij had verder geen woord kunnen uitbrengen. Hij durfde niet opzij naar Flos te kijken. Vroeger, in de zandbak, was het wel een tijdje aan geweest. Maar dat was heel anders. Toen hadden ze nog geen idee wat dat betekende. Toen…

Flos legde haar hand op zijn arm.

'Jij weet ook niks!' riep ze tegen Jasper. Haar ogen staken felgroen af tegen haar rode wangen. 'Iederéén weet dat toch. Het is al tijden aan, man!'

Timo maakte bijna een sprongetje. Zijn gympen hadden zin om te gaan huppelen. Hij keek naar de feestlichtjes in de ogen van Flos.

'Echt?' vroeg hij.

Van Anneke Wiltink is het volgende boek verkrijgbaar:

Het gebarsten kompas

Wilma Geldof

Tommie

'Wat ben jíj dom!' schreeuwde Tessa tegen haar broer.

Tommie had het pak melk van het aanrecht gestoten. De vloer in de keuken was kledder. Op zoek naar een vaatdoek was hij midden in de plas gaan staan. Daarom holde hij naar de bank in de woonkamer om zijn doorweekte sokken uit te trekken. Door de hele woonkamer liet hij een nat melkspoor achter.

Tommie was een jaar ouder, maar Tessa vond dat hij druk was als een kleuter en dat hij altijd stomme dingen uithaalde.

'Denk toch eens na!' riepen papa en mama bijna elke dag tegen hem. 'Eerst denken, dan doen!'

'Hij kán helemaal niet denken,' bromde Tessa. Dat mocht ze niet zeggen van haar ouders, maar het was gewoon waar. Iedereen werd gek van hem.

Mama stuurde Tessa naar de winkel om een nieuw pak melk te kopen. Ze was het steegje achter het huis nog niet uit of ze hoorde een jongensstem: 'Daar heb je Leipie's zussie.'

'Hé!' riep een ander.

Niet omkijken, dacht Tessa. Ze voelde haar gezicht rood worden en met snelle stappen liep ze door.

'Hé!' klonk het weer. En toen: 'Tommiestommiesponzenkop, z'n zussie is trientrut.'

Er werd gegiecheld. En toen werd het herhaald: 'Tommiestommie sponzenkop, z'n zussie is trientrut.'

Het klonk als het refrein van een bekend liedje. De woorden zaten meteen gevangen in haar hoofd. Met een ruk draaide Tessa zich om. Voor haar stonden twee jongens uit Tommies groep. De twee waren een seconde stil en toen openden ze hun mond weer. Maar voor ze opnieuw hun pestliedje konden beginnen, krijste Tessa keihard: 'Ha! Wij gaan lekker verhuizen, weet je!' Ze zette haar beide handen in haar zij. 'Nog een maand en dan zien we jullie nooit nooit nooit meer! Stelletje schijtballen!'

De grootste jongen begon te lachen. 'Trientrutje gaat verhuizen. O, wat zullen we haar missen.'

'En haar leipe broertje nog meer,' grinnikte de ander.

Tessa beet op haar lip, draaide zich om en liep door. Zo ging het altijd: als ze niets terugzei, werd het pesten erger. Maar als ze wél reageerde, werd het óók erger.

'We lopen even met je mee, want straks zien we je nooit nooit meer!'

'Trientrutje en Leipie, hahaha! Je broertje is een sponzenkop!'

De jongens lagen in een deuk.

Met een knal zette Tessa het pak melk voor haar vader op tafel.
'Ho ho, rustig,' zei papa.
Maar Tessa was te boos. Het kwam allemaal door Tommie! Omdat hij altijd voor problemen zorgde. Omdat hij zijn voetbal op het hoofd van de buurjongen mikte, omdat hij op zijn rollerskates met de huissleutel in zijn hand tegen de auto van de juf knalde, omdat hij keihard over de stoep holde en tegen iedereen opbotste en omdat hij begon te vechten zodra hij werd uitgescholden. Tessa zelf had nooit iets gedaan. En toch werd zij gepest. Het was zo oneerlijk.

Tessa was blij toen ze die zomer verhuisden naar een andere wijk. Niet omdat het huis aan de rivier lag of groter was of mooier. Dat was allemaal wel zo, maar het fijnste was dat ze een kans kreeg: ze ging naar een nieuwe school met nieuwe kinderen. Niemand, besloot ze, he-le-maal niemand hoefde te weten dat Tommie haar broer was. Dat zou haar geheim zijn.
De avond voor de eerste schooldag legde Tessa haar linkerhand op haar schooltas en haar rechterhand op haar hart. Ze sloot haar ogen en zei plechtig: 'Hierbij beloof ik, Tessa, dat ik niemand zal vertellen dat Tommie mijn broer is. Dat zweer ik.' Ze spreidde haar wijsvinger en middelvinger en spuugde er tussendoor. Het bewijs van haar eed lag zacht bruisend op het hengsel van de schooltas.
Ze zou geen kinderen mee naar huis kunnen nemen. Daarom zou ze zeggen dat haar moeder ziek was. Maar ze zou eindelijk vriendinnen krijgen op school en bij hen thuis met ze spelen. Alles zou veranderen!
Die eerste schooldag gingen Tommie en Tessa samen de deur uit.
'Veel plezier!' Mama stond in de deuropening om hen uit te zwaaien. 'Hebben jullie je broodtrommel en drinken bij je?'
'Vrrroem!' Tommie rende heen en weer door de gang met zijn armen wijd. 'Ik ben een vliegtuig!'
Tessa knikte en gaf mama een kus.

'Dag!'
Zodra ze de hoek om waren waar mama hen niet meer kon zien,
greep ze Tommie stevig bij zijn bovenarm. 'Luister eens, niemand op
school hoeft te weten dat wij broer en zus zijn. Hoor je me?'
Tommie keek haar verwonderd aan. 'Vrrroem,' zei hij en maaide
zich los.
Snel pakte Tessa hem weer beet.
'Au! Je knijpt me!'
'Ik ken jou niet en jij kent mij niet. Oké?!' zei ze dringend. 'Ik ga
dus níet samen met jou naar school lopen! Dat we broer en zus zijn
is GEHEIM!' Tessa keek Tommie scherp aan en toen stak ze de straat
over. Aan de andere kant hoorde ze Tommie. 'Vrrrooem, vroem!'
Gelukkig, daar hoorde zij niet meer bij.

Zo'n dertig paar ogen keek haar nieuwsgierig aan.
'We hebben een nieuw meisje in de klas,' zei de juf vriendelijk en
legde haar handen op Tessa's schouders. 'Dit is Tessa.'
De juf draaide zich naar haar. 'Waar wil je zitten?'

Een heleboel ogen lichtten op. 'Hier! Hier!' riep een aantal meiden.
Er was één meisje dat Tessa meteen was opgevallen. Ze had zachte bruine ogen en mooie donkere krullen.

'Daar wil ik wel zitten,' wees ze verlegen.

'Naast Rachida,' zei de juf en ze schoof een tafeltje bij Rachida's groepje. 'En bij Femke, Shanna en Kasper.'

In de pauze stond er een hele groep kinderen om haar heen. Ze wilden weten van welke muziek ze hield en of ze van paarden hield en of ze broers en zussen had.

Op dat moment klonk aan de zijkant van de school glasgerinkel. Een groep jongens kluwde om elkaar heen en een meester liep op hen af.

Tommie, dacht Tessa. 'Nee,' antwoordde ze. 'Ik heb geen broer… en ook geen zus,' zei ze er snel achteraan.

Na school mocht Tessa met Rachida mee naar huis. De volgende dag gingen Rachida en zij met Femke mee. Ze kreeg een heleboel vriendinnen, maar Rachida werd haar beste vriendin. Soms speelden ze op het schoolplein. Af en toe gingen ze naar de bibliotheek of de snoepwinkel in het centrum. Of ze speelden bij iemand thuis. Tessa deelde alles met Rachida, behalve haar geheim. Want door haar geheim was alles anders geworden. Door haar geheim had ze vriendinnen gekregen. Zodra Tommie op het schoolplein in haar buurt kwam, keek Tessa de andere kant op. Of ze lachte spottend als hij iets doms deed.

Op een keer kwam hij naar haar toe gerend. 'Tes! Ik heb mijn brood vergeten! Heb jij wat over?'

'Ga maar thuis ophalen,' zei Tessa.

Rachida keek verbaasd.

'Hij woont naast mij,' verduidelijkte Tessa en ze kleurde een beetje. 'Die trekdropsponzenkop.'

Rachida moest daar hard om lachen.

'Wanneer mag ik een keer met je mee naar huis?' vroeg Rachida steeds. 'Ik zal heel zachtjes doen. Ik zal echt zorgen dat je moeder er geen last van heeft.'

'Nee,' zei Tessa. 'Het mag niet. Niemand mag mee naar huis.'
Tessa vond het niet leuk meer een geheim te hebben voor Rachida. Rachida was al twee maanden haar beste vriendin. Maar het nu nog vertellen? Dat kon toch niet meer? Rachida zou vast boos zijn dat ze niet eerlijk was geweest.

Op een dag, een woensdagmiddag, gebeurde er iets...
Met een paar vriendinnen ging Tessa naar de snoepwinkel in het centrum. Ze liepen heel langzaam omdat Femke haar kleine zusje bij zich had. Karlijntje was een schatje. Op dikke beentjes dribbelde ze naast hen. Om de beurt hield één van de meiden haar handje vast. Maar af en toe wilde Karlijn niet meer lopen. Dan rukte ze zich los en liet zich achterover vallen. Ze viel altijd zacht op haar dikke luier. Tessa en haar vriendinnen moesten daar erg om lachen.
Ze wandelden over de brug. Achteraf wist niemand hoe het precies was gebeurd. Karlijntje had zich waarschijnlijk weer losgerukt en één seconde hadden ze niet opgelet. En juist toen had Karlijntje zich níet laten vallen, maar was ze onder de spijlen van de brugleuning gekropen.
Er klonk een plons. Tessa, Femke, Shanna en Rachida keken elkaar aan. Ze keken om zich heen. Karlijntje! Ze keken in het water. Ze zagen Karlijntje niet. Femke begon te gillen. En toen was er die groep jongens.
'Mijn zusje!' schreeuwde Femke. 'In het water! In het water!'
Het volgende ogenblik klonk er een harde plof. Iemand was vier meter naar beneden in het zwarte water gesprongen. Dook onder water. Nog een keer. Verdween achter een boot. Allemaal hielden ze hun adem in.
Het leek een eeuwigheid te duren. Toen kwam Tommie boven met de peuter in zijn handen. Karlijntje gaf een schreeuw. Begon te kuchen. Een slok water gutste uit haar mond. Ze begon te krijsen.
Femke holde de brug af naar de oever. Tessa, Rachida, Shanna en de groep jongens renden achter haar aan. Tommie was al aan de kant. Hij klauterde het water uit met het brullende kleine meisje onder

een arm geklemd. Het kroos zat in zijn haar. Hij gaf Femke haar zusje, lachte, draaide zich om en dook nog een keer het water in. De jongens joelden.

'Koud hoor,' zei hij toen hij er even later rillend uitkwam. Hij liep vlak langs Tessa.

'Goed van je, Tommie,' zei ze tegen hem, maar hij liep haar voorbij en keek haar niet aan.

'Goed van je,' zei ze opnieuw. Maar het was alsof ze niet bestond. Hij leek haar niet te horen, niet te zien.

De jongens namen de drijfnatte Tommie op hun schouders. 'Tommie is oké, olé olé!' gilden ze.

Femke huilde en lachte en hield Karlijntje stevig tegen zich aangedrukt.

'Dat was mijn broer,' zei Tessa zacht, maar niemand hoorde haar. 'Dat was mijn broer,' zei ze nog een keer.

Rachida keek haar aan en lachte. 'Ha ha! Dat zou je wel willen!'

''t Is écht mijn broer,' zei Tessa.

Iedereen staarde haar aan. Niemand zei wat. Daarom draaide ze zich om en liep weg. In de verte, hoorde ze zacht het gejoel van de jongens. Voor het eerst was ze trots op Tommie die níet eerst dacht, maar meteen deed. Maar ze voelde zich heel alleen.

Toen het groepje jongens al bijna niet meer te horen was, klonk opeens Tommies stem er schreeuwend bovenuit. 'Hé zussie! Goed van me, hè?!'

Tessa's hart maakte een sprongetje.

Ze zette haar handen aan haar mond. 'Ja!' toeterde ze zo luid ze kon. Iedereen mocht het horen. 'Ja, Tommie! Hartstikke goed!'

Van Wilma Geldof zijn de volgende boeken verkrijgbaar:

Kiki op zoek naar Tom
Rosa rotmeid
Nathans val

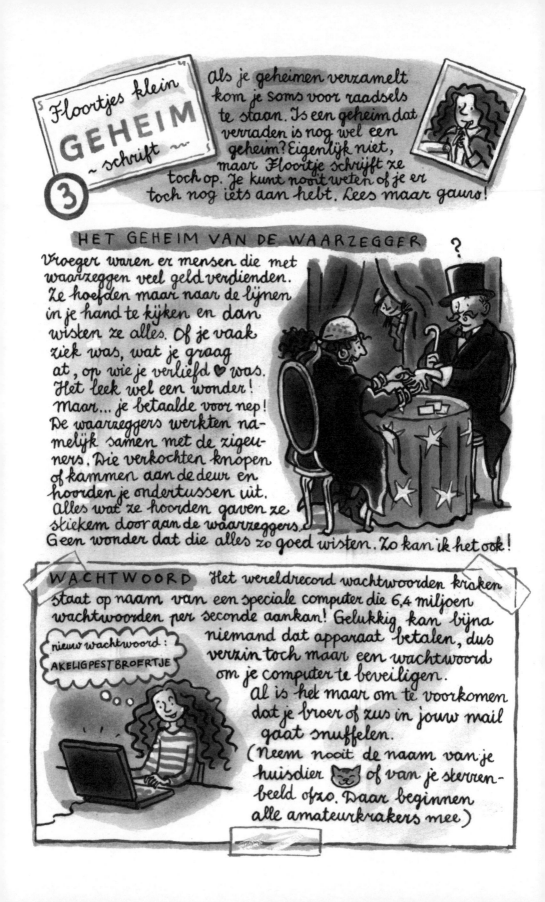

Floortjes klein GEHEIM ~schrift~

③

Als je geheimen verzamelt kom je soms voor raadsels te staan. Is een geheim dat verraden is nog wel een geheim? Eigenlijk niet, maar Floortje schrijft ze toch op. Je kunt nooit weten of je er toch nog iets aan hebt. Lees maar gauw!

HET GEHEIM VAN DE WAARZEGGER

Vroeger waren er mensen die met waarzeggen veel geld verdienden. Ze hoefden maar naar de lijnen in je hand te kijken en dan wisten ze alles. Of je vaak ziek was, wat je graag at, op wie je verliefd ♥ was. Het leek wel een wonder! Maar... je betaalde voor nep! De waarzeggers werkten namelijk samen met de zigeuners. Die verkochten knopen of kammen aan de deur en hoorden je ondertussen uit. Alles wat ze hoorden gaven ze stiekem door aan de waarzeggers. Geen wonder dat die alles zo goed wisten. Zo kan ik het ook!

WACHTWOORD

Het wereldrecord wachtwoorden kraken staat op naam van een speciale computer die 6,4 miljoen wachtwoorden per seconde aankan! Gelukkig kan bijna niemand dat apparaat betalen, dus verzin toch maar een wachtwoord om je computer te beveiligen.

Al is het maar om te voorkomen dat je broer of zus in jouw mail gaat snuffelen.

(neem nooit de naam van je huisdier 🐱 of van je sterrenbeeld ofzo. Daar beginnen alle amateurkrakers mee)

nieuw wachtwoord:
AKELIGPESTBROERTJE

HOE HOUD JE JE DAGBOEK GEHEIM?

① Draag het sleuteltje altijd bij je aan een kettinkje om je hals.

② Kaft het dagboek met hetzelfde papier als je schoolboeken. Dan valt het niet zo op.

③ Schrijf in je dagboek alleen maar onzin. Laat het sleuteltje expres slingeren. Geeft niks, je echte geheimen schrijf je in een doodgewoon schoolschrift. Schrijf op het etiket "AARDRIJKSKUNDE".

④ Schrijf in spiegelschrift of geheimschrift (zie tips)

HET SLANGENMYSTERIE

Knap hoor! Hoe fakirs met fluitmuziek de gevaarlijkste slangen kunnen bezweren!
Maar hee... er is iets vreemds aan de hand. SLANGEN ZIJN DOOF! Ze kunnen de muziek niet eens horen. Waarschijnlijk reageren de slangen (heus geen giftige) op de bewegingen van de fakir, want zien kunnen ze dus wel!

GEHEIMSCHRIFT ③

(Schrijf voor elke klinker een Q en voor elke medeklinker een x. Je weet niet wat je ziet!)

xJqoqexxrqi qixs qoqoxk qoxp xmqij xDqaxt xhqeqexfxt xhqij xzqexlxf xgqexzqexgxd. xWqe xgqaqaxn xnqu xsqaxmqexn xgqexhqeqixmqexn xsxpqaxrqexn.

Henk Hardeman

Het geheime huis

Misha was door alle smoe-zen heen. Het was niet lan-ger uit te stellen. De klok tikte door en ze moesten weg.

'Misha!' klonk het van onder aan de trap. 'Schiet nou op, straks kom je nog te laat op je eerste schooldag!'

'Ik kom al!' Hij wierp nog een blik op zijn bleke gezicht in de badkamerspiegel en haastte zich de trap af.

Zijn moeder hielp hem nerveus in zijn jas, gaf zijn rugzakje aan, en duwde hem naar buiten. Tegen de schutting stond een ouderwetse da-mesfiets. Ze nam plaats op het zadel en beduidde hem te gaan zitten. 'Ik kan dat stuk best lopen,' probeerde Misha. 'Het is net over het spoor. Zo'n eind is het nou ook weer niet, mam.'

Ze keek niet om. 'Je hebt zo lang getreuzeld dat je veel te laat zou komen. Ga nou maar zitten.'

Even later werden zijn billen gemarteld door de spijlen van de baga-gedrager, terwijl zijn moeder zwoegend de pedalen rond trapte.

Waarom moest zijn fiets uitgerekend nu kapotgaan? Het stuur was gisteravond afgeknapt als een soepstengel. 'Roest,' had zijn vader ge-zegd. 'Nog een geluk dat het niet midden op de weg gebeurde.' Er was niets meer aan te doen geweest en geld voor een nieuwe twee-dehands fiets was er niet.

Daarom zat hij nu achterop. Bij zijn moeder.

Toen de spoorwegovergang in zicht kwam, werd het weeë gevoel in zijn maag erger. Als hij nou maar niet vlak voor de school moest

overgeven, waar iedereen bij stond! Het liefst maakte hij rechtsom-
keert, maar zijn moeder trapte meedogenloos voort. De fietsbanden
hobbelden over de rails en zijn toch al rauwe achterste kreeg een
fikse optater.

Hier waren de huizen hoger, groter en mooier dan aan hun kant van
het spoor. De gebouwen hadden zich verschanst achter hoge heggen
en keken minzaam op hen neer. De weg werd breder en slingerde
zich loom voort. Glimmende auto's zoefden geruisloos voorbij, met
achter het stuur vaders in pak met stropdas en moeders in mantelpakjes. Kinderen gaapten hen aan door de achterruiten, als vissen in
een aquarium.

'Moet ik echt naar deze school?' vroeg Misha. 'Wat is er mis met de
oude?' Hij kende het antwoord.

'Deze is veel beter,' antwoordde zijn moeder. 'Daarna kun je tenminste op een goede middelbare school en dan naar de universiteit. Die kans hebben je vader en ik nooit gehad.'

'Maar als ik nou niet naar de universiteit wil?'

'Dat zien we dan wel weer.'

Voorbij de volgende hoek lag zijn nieuwe school, waar hij in groep zes begon. 'In elk geval val je er niet middenin,' had zijn vader gezegd. 'Je begint na de grote vakantie, tegelijk met de anderen.'

Maar die kennen elkaar al jarenlang, dacht Misha nu, ik ken er niemand. En wat zouden ze denken als ze zagen dat hij door zijn moeder werd gebracht? Achter op de fiets?

'Stop!' riep hij plotseling.

Zijn moeder keek verwonderd om. 'Wat is er?'

'Ik loop het laatste stukje wel.'

'Waarom?'

Hij sloeg zijn ogen neer. 'Daarom.'

Iedereen zat al toen hij het lokaal binnenkwam. Het geroezemoes verstomde en de kinderen staarden hem aan.

Vanachter een tafel voor in de klas stond een man op. 'Aha, daar is onze nieuwe aanwinst!' Hij grijnsde en liep naar hem toe. 'Welkom, Misha. Ik ben meester Tom. Zoek maar een mooi plekje uit!'

Misha keek om zich heen. Er was niet veel keus, de meeste stoelen waren al bezet. Bovendien keken de kinderen afwerend. Of leek dat maar zo? Misschien had het niets met hem te maken en waren ze gewoon knorrig omdat ze geen zin hadden om weer naar school te gaan.

Hij koos een plaats achter in het lokaal, naast een jongen met een bos spierwit haar. De jongen wierp een blik op hem en keek toen weer voor zich. Hij droeg een trui waarop in gele wol *Sjoerd* was gebreid. Da's makkelijk, dacht Misha, hoef ik tenminste niet te vragen hoe hij heet.

Van de les drong niet veel tot hem door. Gebogen over zijn nieuwe schrift voelde hij ieders blikken op zich branden. En als hij even opkeek, draaiden ze hun hoofd gauw weer weg.

Na een eeuwigheid was het eindelijk pauze. Met lood in zijn schoenen ging Misha naar het schoolplein, waar hij tegen een muurtje leunend wachtte tot de les weer zou beginnen. Toen hij er een tijdje had gestaan, kwamen tot zijn verbazing Sjoerd en nog wat andere kinderen naar hem toe. Met zijn handen in zijn zakken ging Sjoerd tegenover Misha staan, de rest stelde zich giechelend achter Sjoerd op.

Als hij maar niet vraagt waar ik woon, dacht Misha.

'Waar woon jij?'

'Dat heb ik je toch al gezegd,' zei een dikke jongen. 'Aan de andere kant van het spoor, in een van die kleine huisjes!'

Sjoerd keek Misha fronsend aan. 'Is dat zo?'

'Euh…' Misha dacht koortsachtig na. Wat moest hij antwoorden? Als hij zou zeggen dat hij inderdaad in een klein huisje woonde, keken ze hem natuurlijk nooit meer aan. Dan zou hij de rest van zijn tijd hier op school alleen in een hoekje zitten, of vreselijk gepest worden!

'We wonen aan de andere kant van het spoor, ja. Maar niet in een klein huisje,' voegde hij er snel aan toe. 'We wonen in een reusachtig huis, een paleis bijna, met tientallen kamers. Als je zou willen, kon je elke dag van de week in een andere kamer slapen. Het komt regelmatig voor dat bezoek verdwaalt in het huis, zo groot is het. Vaak vinden we ze pas na dagen weer terug; helemaal vervuild en uitgehongerd.'

Het groepje keek hem met open mond aan.

'Maar er zíjn toch geen grote huizen aan de andere kant van het spoor?' zei een meisje met lang, blond haar nuchter.

'Tessa heeft gelijk,' viel de dikke jongen haar bij.

Sjoerd stak zijn hand op. 'Kop dicht, Niels! Laat hem uitpraten.'

Misha haalde diep adem. Hij stond al met één voet in het drijfzand, dan kon hij er net zo goed helemaal in wegzakken. 'Op elke kamer staat een computer en een koelkast met drinken en lekkers, en er zijn ook balzalen waar m'n ouders grote feesten houden. Dan komen er koningen en koninginnen, prinsen en prinsessen, mensen

van adel en filmsterren. Allemaal incognito natuurlijk, anders valt het te veel op.'

Niels keek niet-begrijpend. 'Incognito?'

'Vermomd, oen!' zei Sjoerd.

'Oh, op zo'n manier.'

'Er zijn tientallen lakeien, knechten en diensters om ons te bedienen en alles schoon te houden,' loog Misha verder. 'En we hebben een garage vol racewagens, motoren en oldtimers, en renpaarden en koetsen, waarvan eentje helemaal verguld, veel mooier dan de gouden koets van de koningin.'

Een meisje dat achteraan stond, stak haar vinger op. 'Als dat huis van jullie zo enorm is, moet je het toch vanaf de weg kunnen zien? Dan moet het boven al die kleine huisjes uitsteken, maar het is mij nog nooit opgevallen.'

De kinderen keken nu weer vertwijfeld.

Tessa knikte. 'Dat zei ik toch al? Anne-Sofie heeft gelijk. Hoe zit dat dan?'

'Dat komt omdat het deels ondergronds is,' verzon Misha razendsnel.

Sjoerd sperde zijn ogen wijd open. 'Ondergronds, waarom?'

'Nou eh, omdat m'n ouders zo rijk zijn, moeten we ons beschermen. Tegen bommen enzo, en ontvoerders, snap je? Daarom hebben we een grote schuilkelder, met genoeg voorraad om het er minstens twintig jaar vol te houden.'

'Tjee…' klonk het vol ontzag. 'Gaaf zeg!'

'Maar hoe komen jouw ouders dan aan al dat geld?' wilde Niels weten. 'Werken ze bij de televisie of zo?'

'Eh…'

'Mogen we jullie huis een keertje zien?' vroeg Tessa nieuwsgierig. 'Vanmiddag meteen na school? Geef je ons dan een rondleiding?'

'Jaaah!' riepen ze allemaal. 'Een rondleiding! Wij willen een rondleiding!!'

Misha kreeg het benauwd. Hoe kon hij zich hier ooit nog uit kletsen? Gelukkig ging op dat moment de bel.

Toen het drie uur was, schoot Misha als eerste het lokaal uit en ver- stopte zich op de wc. Pas na een hele tijd – het geluid van voetstap- pen en stemmen op de gang was inmiddels weggestorven – kwam hij weer naar buiten. Het schoolplein was bijna helemaal verlaten en het groepje van Sjoerd, Niels, Tessa en Anne-Sofie was nergens te bekennen. Die waren natuurlijk allang opgehaald door hun ouders in glimmende wagens.

Misha slaakte een zucht van opluchting. Vandaag was hij de dans ontsprongen! Meteen betrok zijn gezicht weer. Vandaag wel, maar hoe moest het morgen en overmorgen? Hij kon ze niet eeuwig om de tuin leiden. Ooit zou de waarheid aan het licht komen en dan was de ellende niet te overzien. Waarschijnlijk had hij beter meteen de waarheid kunnen vertellen.

Piekerend en peinzend liep hij het schoolplein af. Mam zou zich wel afvragen waar hij zo lang bleef. Hij had haar bezworen hem niet te komen ophalen, hij kon het stuk best lopen. Opnieuw had ze ge- vraagd waarom, maar hij had het niet willen uitleggen. Hoe kon hij haar nu zeggen dat hij zich schaamde omdat zij hem met de fiets kwam ophalen, dat hij zich schaamde voor hun kleine huis, voor het feit dat ze geen auto hadden?

Hij keek over zijn schouder, maar niemand volgde hem. Had ik maar weer een fiets, dacht hij, dan ging het sneller. Dan kon hij ook eventuele achtervolgers van zich afschudden, door andere straten in te rijden en ze op een dwaalspoor te brengen. Maar voorlopig kreeg hij geen fiets, laat staan een nieuwe. Hij zuchtte en slenterde luste- loos verder.

Toen hij eindelijk bij zijn huis kwam, versteende hij. Tegen het hek- je stonden vier stoere fietsen. Zijn hart begon te bonken. Ze zouden toch niet... Dat kon niet... Hoe wisten ze dat hij...

Misha wilde weggaan, maar de deur zwaaide al open. Zijn moeder kwam naar buiten, vrolijk lachend. 'Daar ben je dan eindelijk! Kom gauw binnen, Misha, ze zitten allemaal op je te wachten. Wat een leuke verrassing en dat meteen op je eerste schooldag!' Ze trok hem mee de kamer in, en daar zaten ze. Breeduit op de bank, achter een

glas limonade en een stuk zelfgebakken appeltaart – Sjoerd, Niels, Tessa en Anne-Sofie.

'Waar blééf je nou, man?' zei Sjoerd met een grijns.

Tessa knikte. 'Ja, we zitten hier al úúúren! Je zou ons vanmiddag toch een rondleiding geven?'

'Ik eh…' Misha was verbijsterd. 'Hoe wisten jullie dat ik hier woon?' vroeg hij ten slotte.

'Da's simpel,' zei Anne-Sofie met een glimlach, 'we hebben de leerlingenlijst bekeken. Daar stond je adres op.'

Misha wist niet goed wat hij moest zeggen.

Tessa verbrak de stilte. 'Je hebt een hoop fantasie, Misha. Maar wat één ding betreft heb je gelijk, dit is echt een paleisje!'

Niels knikte. 'Het is veel gezelliger dan bij ons thuis,' zei hij met volle mond, 'daar verdrink je in de woonkamer!'

'Bij ons ook,' zei Anne-Sofie. 'Het is zo groot, dat is gewoon niet leuk meer.'

'Dus…' begon Misha, 'dus jullie vinden het niet erg dat ik in een klein huis woon?'

'Welnee, man!' zei Sjoerd. 'Wat kan ons dat nou schelen? Maar je fantasie, die kunnen we goed gebruiken!'

'Voor het toneelstuk,' verduidelijkte Anne-Sofie. 'We moeten met de klas een toneelstuk gaan maken, maar we konden niks bedenken. En nu dachten we…'

'Dat jij ons zou kunnen helpen,' vulde Tessa aan. 'Wil je dat?'

Misha knikte, opgelucht. 'Natuurlijk. Graag zelfs!'

'Oké,' zei Sjoerd. 'Dan springen we nu meteen op de fiets en gaan naar mijn huis. Kunnen we alles bespreken. Ik heb op m'n kamer van alles liggen wat we kunnen gebruiken…'

Misha keek beteuterd. 'Dan moet ik bij een van jullie achterop, want ik heb geen fiets meer. Enne, we hebben geen geld voor een nieuwe.' Zo, dat was eruit. Als ze hem nu wilden uitlachen, dan deden ze dat maar.

Maar ze lachten hem niet uit.

'Da's ook balen,' zei Niels. En hij keek alsof hij het meende.

Tessa en Anne-Sofie knikten met ernstige gezichten.

Sjoerds ogen begonnen te glimmen. 'Hé, ik weet wat! Voor m'n verjaardag heb ik net een nieuwe fiets gekregen, maar de oude is ook nog best goed hoor. Als je hem wilt, kun je 'm zo krijgen!'

'O, dat zou fantastisch zijn!' riep Misha's moeder. 'Maar moet je dat niet eerst aan je ouders vragen, Sjoerd?'

Hij schudde zijn hoofd. 'Nee hoor, mevrouw. Die fiets staat maar in de schuur en niemand doet er wat mee.'

Ze keken naar Misha. 'Zullen we dan maar?'

'Je kunt wel bij mij achterop,' zei Tessa.

Misha grijnsde. 'En dan terug op mijn eigen fiets!'

Lachend en pratend reden ze naar Sjoerds huis; het was alsof ze Misha al jaren kenden!

Van Henk Hardeman zijn de volgende boeken verkrijgbaar:

De prinses van Ploenk
De bastaard van de Hertog
Het rijtjespaleis
Zebedeus en het zeegezicht

Anne Takens

Het cadeau is geheim

Nikkie zit op de kruk achter de piano. Die middag heeft ze op muziekles van juf Pieta een nieuw wijsje geleerd. Ze speelt zo mooi als ze kan en ze zingt erbij:

'Kleine zwaluw van de zomer
zweef op de warme wind omhoog,
naar de bonte regenboog,
naar de wolken en de zon.
Zwaluw, ik wou dat ik vliegen kon.'

Nikkies moeder klapt in haar handen en zegt: 'Goed gedaan, Nikkie. Dat liedje moet je vrijdag voor papa spelen. Als hij jarig is.'
'Doe ik,' belooft Nikkie. Ze speelt het wijsje nog tien keer en bijna zonder fouten.
Buiten zit haar vader onder de bomen in een tuinstoel. Op zijn voorhoofd ligt een washandje. Nikkie weet wat dat betekent. Haar vader heeft hoofdpijn en dat komt omdat hij veel te hard werkt op zijn kantoor. Op een nacht was Nikkie wakker geworden uit een rare droom over grote glazen limonade met reuzenrietjes erin. Ze had dorst, sprong uit bed, rende de trap af en dronk in de keuken water uit de kraan. In de kamer brandde nog licht. Nikkie zag haar vader achter de computer zitten. Zijn haar zat in de war en hij gaapte van de slaap. Nikkie liep naar hem toe, sloeg haar arm om zijn zweterige nek en vroeg: 'Lieve pap, ga je morgen mee naar het Zonnebad? Lekker zwemmen en van de glijbaan glijden?'

Haar vader had zijn hoofd geschud en gezegd: 'Geen tijd, Nik. Ik moet werken. Zaterdag misschien. En nu vlug terug naar bed! Ik breng je naar boven.'

Maar Nikkie had haar vader meegenomen. Naar de tuin. Ze wilde zo graag naar de maan kijken. De bolle volle maan, die oogjes had en een mond. Samen hadden ze stil op het gras gestaan. Papa wees naar de wolken, die langs de maan voorbijdreven en hij zei: 'Wat houd ik van die wolken. Ik zou wel eens naar de wolken willen vliegen. Ik zou wel eens hoog in de lucht willen zijn. Daar is het rustig. Daar zijn geen computers of dingen die ik moet doen voor mijn werk.'

'En daar heb je nooit hoofdpijn,' had Nikkie bedacht.

Nikkie speelt haar zwaluwliedje nog een keer. Dan vraagt haar moeder: 'Weet je wat papa voor zijn verjaardag krijgt?'

Nikkie zegt: 'Van mij een baal roze en blauwe spekkies. Die heb ik al gekocht van mijn zakgeld. En wat geef jij hem? Toch niet van die stomme bruine sokken, hè mam?'

Nikkies moeder lacht. 'Nee, deze keer krijgt je vader een heel bijzonder cadeau, omdat hij veertig jaar wordt. Dat is een kroonjaar.'
'Wat geef je hem dan?' vraagt Nikkie.
'Je vader krijgt zijn droom,' zegt haar moeder. 'Papa wilde die droom zijn hele leven al en vrijdag komt hij uit. Het mag op die dag niet stormen of regenen. Anders valt mijn plannetje in het water.'
Nikkie gilt: 'Vertel nu wat het is! Ik snap er niks van!'
Haar moeder fluistert iets in haar oor. Nikkie begint te lachen en roept: 'Dat vindt papa keigaaf! Dat is het mooiste cadeau van de wereld! Mogen wij dan ook mee? Jij en ik?'
Haar moeder knikt. 'Ja, maar ik wil iets met je afspreken, Nikkie. Je mag de verrassing voor papa aan niemand verklappen.'
'Ook niet aan Femke?' vraagt Nikkie. Femke is haar buurmeisje en haar liefste vriendin.
'Nee, ook niet aan Femke,' zegt haar moeder. 'Want stel je voor dat Femke vergeet dat het een geheim is en dat ze het per ongeluk aan papa vertelt. Dat zou ik jammer vinden. Dan is ons geheim geen geheim meer. Doe maar een slotje op je mond. Nog twee nachten slapen en dan is het al vrijdag.'
Nikkie doet net of ze haar mond op slot draait en ze rent de deur uit naar Femke. Femke zit op de stoep voor haar huis en maakt een tekening met haar nieuwe stoepkrijt.
'Femke!' gilt Nikkie. 'Ik heb een geheim! Het is voor de verjaardag van mijn vader! Hij krijgt een supergaaf cadeau en je raadt nooit wat het is.'
Femke schuift haar bril recht op haar neus en zegt: 'Je vader krijgt een nieuwe computer.'
'Fout!' roept Nikkie.
Femke kijkt op en vraagt: 'Welke kleur heeft de verrassing?'
Nikkie denkt na. 'Eh… dat weet ik niet precies, maar ik geloof… rood, blauw, geel en groen en paars…'
'Het is een regenboog,' zegt Femke. 'Je vader krijgt een regenboog voor zijn verjaardag.'
'Mis, fout, helemaal verkeerd,' zegt Nikkie. 'Een regenboog kun je niet uit de lucht plukken. Dat weet je toch wel?'

'Ik verzon zomaar wat,' zegt Femke. 'Met wat voor letter begint het cadeautje?'

'Met een b…' zegt Nikkie. Ze slaat haar hand voor haar mond. Wat dom! De eerste letter van het geheim heeft ze al verklapt!

Femke roept: 'Dan weet ik het al! Het is een broek. Je vader krijgt een nieuwe onderbroek omdat in zijn oude misschien een gat zit.'

Nikkie proest van het lachen. Die gekke Femke verzint van alles maar ze raadt het niet. Ze weet niet dat de b iets heel anders is. Iets wat je soms ziet op een zomeravond. Als het te warm is om te slapen en je nog een poosje in de tuin of op straat mag spelen. Als de hemel de kleur heeft van korenbloemen en de wolken gouden randjes om zich heen hebben getoverd. Op zo'n warme zomeravond komt soms de droom van papa voorbij. En dan roept iedereen: 'Oooh! Kijk eens wat mooi!'

Die avond kan Nikkie niet in slaap komen. Ze pakt haar stiften en een blaadje en tekent haar geheim. Maar ineens bedenkt ze dat papa haar altijd een stiekeme nachtkus komt geven als hij zelf naar bed gaat. Papa mag de tekening niet zien! Vlug legt ze hem onder haar kussen. Dan valt ze in slaap. Ze droomt dat ze door de lucht zweeft. Net als een zwaluw. Ze vliegt naar de blauwe lucht en de wolken en opeens suist ze naar beneden, regelrecht naar de aarde. Met een bons valt ze uit bed op de vloer.

Nikkies vader heeft de bons gehoord. Hij rent naar haar kamer, tilt haar op, legt haar in bed en vraagt: 'Heb je je pijn gedaan, lieverd?'

'Nee,' mompelt Nikkie. 'Ik droomde… en toen viel ik…'

Haar vader geeft haar een kus en fluistert: 'Vrijdag ben ik jarig. Wat krijg ik dan?'

Nikkie is ineens klaarwakker. 'Raden, papa Hans!'

Met een lachje zegt haar vader: 'Een dikke reep chocola.'

Nikkie schudt haar hoofd. 'Nee, je krijgt je liefste wens. En weet je wat die is? Het is… een b… een b… een Ballaboel!'

'Een Ballaboel?' Papa kijkt verbaasd. 'Is dat soms een machine waar je alles mee kunt doen? Zagen, schuren, boren en nog meer?'

'Nee, het is je droom,' zegt Nikkie. 'Maar ik mag niets verklappen. Het is een geheim.'

Dan draait ze zich om naar de muur en doet haar ogen dicht. Haar vader stopt haar in en zegt: 'Je kussen ligt helemaal scheef. Even recht leggen. Oh! Er ligt iets onder! Een tekening! Wat een mooie!'

Nikkie schiet overeind en grist het blaadje uit zijn hand. 'Niet kijken! Heb je gezien wat erop staat?'

Papa zegt lachend: 'Nee, echt niet. Welterusten lieve schat.'

Als papa de kamer uit is, verstopt Nikkie haar tekening weer onder haar kussen. Gelukkig heeft papa hem niet goed bekeken. Anders had hij het geheim ontdekt.

Op de verjaardag van Nikkies vader is het prachtig weer. 's Morgens vroeg krijgt papa ontbijt op bed en Nikkie geeft hem een puntzak vol roze en blauwe spekkies, waar hij zo dol op is. Mama heeft een nieuwe stropdas gekocht, met muzieknootjes erop. Ze zegt: 'Je grote cadeau komt vanavond. Maar dan moet je wel om vijf uur thuis zijn uit kantoor. Lukt dat?'

Het lukt! Precies om vijf uur gaan ze met de auto op pad. Mama rijdt en Nikkie en haar vader zitten achterin.

Papa vraagt: 'Waar gaan we naartoe? Gaan we ergens eten in een lekker restaurantje?'

'Mis poes,' zegt Nikkie.

'Vertel het me nou!' roept haar vader. 'Ik word hier helemaal zenuwachtig van. Voel eens hoe snel mijn hart klopt?'

Nikkie legt haar hand op haar vaders borst. Ze voelt zijn hart. Ja, het klopt supervlug! Lachend zegt ze: 'We zijn op weg naar de geheime Ballaboel.'

Mama rijdt een landweg in, langs weilanden met schapen en koeien. Ze kijkt achterom en roept: 'Hans, doe je ogen dicht. We zijn er bijna. Maar je mag het geheim nog niet zien!'

Nikkies vader knijpt zijn ogen stijf dicht. Mama parkeert de auto voor een hek en zegt: 'Uitstappen! Je mag niet kijken, Hans!'

Nikkie is het eerst uit de auto en dan stapt haar vader uit. Nikkie pakt zijn hand vast en over een hobbelig paadje lopen ze naar het geheim. Papa heeft nog steeds zijn ogen dicht...

Opeens juicht Nikkie: 'Daar is de Ballaboel! Wat is hij mooi! Kijk maar, pap!'

En dan ziet Nikkies vader het geheim. Het geheim staat midden op een grasveld en heeft alle kleuren van de regenboog. Zachtjes wiegt hij heen en weer in de wind.

'Een ballon!' roept papa. 'Een ballon met een mandje eronder! Wat is hij groot! Wat is hij prachtig!'

Nikkies moeder stoot hem lachend aan. 'Ja, en in die reuzenballon gaan wij varen. Jij en ik en Nikkie.'

'Echt waar?' vraagt papa verbaasd.

'Ja!' roept Nikkie. 'Leuk hè, pap!'

Ze stappen in het mandje en krijgen lekkere drankjes en hapjes voor onderweg. En dan gaat de ballon omhoog. Nikkie kijkt over de rand van het mandje naar beneden. Ze ziet een huis met een zwembad erbij. Ze ziet een weg met auto's. De auto's zijn zo klein als speelgoedautootjes. Ze pakt haar vaders hand en vraagt: 'Hoe vind je je grote cadeau?'

Haar vader fluistert: 'Mooi… heel mooi…'

De ballon gaat hoger, steeds hoger. Ze komen dicht bij de zon en de wolken. Het is heel stil boven in de lucht. Zo stil als in een droom. Zo stil als in die zomernacht, toen Nikkie en haar vader in de tuin naar de maan keken. Nikkie kijkt op naar papa's gezicht. Ze schrikt. Ze ziet iets nats op papa's wang. Is dat een zweetdruppel? Of een traan? Het is een traan. Huilt papa? En waarom dan? Ze vraagt: 'Ben je verdrietig, pap? Of heb je hoofdpijn?'

Haar vader schudt zijn hoofd. Hij tuurt naar de wonderlijke wolken, die op schaapjes lijken. Op roze schaapjes die dicht tegen elkaar aan zijn gekropen. Net of ze het koud hebben. Zacht zegt hij: 'Ik moet een beetje huilen. Omdat het zo mooi is in de ballon. Omdat ik hoog in de lucht ben. Dicht bij de wolken en de zon. Dat wilde ik altijd al zo graag.'

Nikkie vraagt: 'Is dit je droom?'

'Ja,' zegt papa. 'Dit is mijn droom. En hij is uitgekomen. Ik heb het fijnste cadeau van mijn leven.'

Eerst krijgt Nikkie een kus. En dan mama. De kus voor mama is extra lief.

Rustig drijft de ballon door de lucht. Ver weg zien ze een regenboog. Daar is vast een buitje gevallen terwijl de zon scheen. Het is een klein regenboogje. Een halve. Maar hij heeft prachtige kleuren. Nikkie zou wel altijd in de ballon willen blijven, want hij wiebelt zo lekker en hij drijft zo stil door de lucht. Ze zou wel altijd door de lucht willen drijven. En papa wil dat ook. Maar de zon kruipt weg achter de schapenwolkjes en de ballon begint te dalen. Hij landt op een weiland tussen slaperige koeien. De tocht is voorbij.

'Jammer,' zegt Nikkie.

'Heel jammer,' zegt haar vader met een zucht. 'Aan alle mooie dingen komt een eind.'

Als ze weer thuis zijn speelt Nikkie op de piano het liedje van de zwaluw.

'Kleine zwaluw van de zomer,
zweef op de warme wind omhoog,
naar de bonte regenboog...'

Dan rent ze naar haar kamer, grist haar tekening onder haar kussen vandaan en geeft hem aan papa. De ballon staat erop. De geheime Ballaboel met alle kleuren van de regenboog. Papa hangt de tekening aan de muur en zegt: 'Mijn verjaardag zal ik nooit vergeten. Ik kreeg van jullie mijn droom cadeau.'
Nikkie roept: 'Je droom was een geheim en ik heb het geheim niet verklapt. Aan niemand! Goed van mij, hè?'
Papa geeft Nikkie een kus en zegt: 'Je bent een kanjer.'
Dan gaan ze kersentaart eten en limonade drinken. Want het is feest!

Van Anne Takens is het volgende boek verkrijgbaar:

Jop de pop

Maaike Fluitsma

Het juiste moment

'Psst, Maxx. Hier!' Maxx stond op het pleintje voor zijn huis en keek in de richting van het geluid. Aan de overkant stond zijn vriendje achter een auto verstopt.

'Snel! Kom eens kijken!' riep Tom. Maxx slenterde met zijn handen in zijn broekzakken naar hem toe. Tom deed wel va-ker geheimzinnig en dan was het meestal niks.

Toen hij naast hem stond, trok Tom iets uit zijn jaszak. In zijn hand hield hij een klein glimmend zilveren doosje.

'Wat is het?' vroeg Maxx toch wel een beetje nieuwsgierig.

'Zie je dat dan niet!' Tom schudde ongeduldig met zijn hoofd. Hij pakte het doosje met zijn andere hand vast en klapte een gedeelte open. Daarna draaide hij aan een klein wieltje en een vlammetje floepte naar buiten.

Maxx sprong achteruit en keek geschrokken in de richting van zijn huis. 'Joh, dat mag je helemaal niet hebben!'

Tom haalde zijn schouders op.

'Ik zou hem maar terugbrengen,' zei Maxx. 'Als je vader hem straks mist!'

'Ik ben d'r gek,' antwoordde Tom. 'Weet je niet meer van dat fikkie de vorige keer. Dat was toch vet cool, man.'

'Jawel, maar…' Maxx aarzelde. Natuurlijk was hij die keer nog niet vergeten! Met een gevonden doosje lucifers hadden ze een stapel kranten in de brand gestoken. Fikken dat het deed! De vlammen waren prachtig oranjerood en de hitte was enorm geweest. Hij had zijn ogen er niet vanaf kunnen houden. Takjes, bladeren, gras, alles

wat maar kon branden, was op de stapel gegaan. Toen het vuur dreigde te doven, had hij zelfs zijn boek uit de bibliotheek er nog op gegooid. Dom natuurlijk! Maar het vuur was zo mooi. Totdat zijn moeder ineens voor hun neus had gestaan. Woest was ze.

'Durf je soms niet meer,' vroeg Tom. Hij gaf Maxx een por.

'Nou eh...' Maxx keek naar het glimmende voorwerp in Toms hand en toen naar zijn huis.

'Kom op joh,' zei Tom. 'We doen het gewoon ergens anders.'

Maxx beet op zijn lip. Zo'n mooi vuur als toen had hij nooit meer gezien. En als ze het ver weg van hun straat deden, hoefden zijn ouders er nooit achter te komen.

'Ik heb al heel veel gevonden dat goed brandt,' zei Tom.

'Waar?' riep Maxx. Het flapte er vanzelf uit.

Twee huizenblokken verder kwamen ze op een verlaten industrie-terrein. Bij een bouwcontainer naast een groot raam stopte Tom.

Voor Maxx het wist, stond Tom al in de container. Hij hield een stuk hout omhoog. 'Dit fikt pas mooi, man.'

'Maar dat is van iemand anders!' riep Maxx. 'Dat mag je niet zomaar pakken.'

'Dit is afval,' zei Tom. 'Het gaat toch naar de verbrandingsoven.'

'Verbrandingsoven?' vroeg Maxx.

'Ja, daar verbranden ze deze oude rommel. Dus als wij dat nu doen, dan helpen we juist.'

Maxx grijnsde.

'Hier, vangen!' Tom gooide het stuk hout naar hem toe.

Maxx ving het op. Zonder verder na te denken legde hij het naast zich neer. En nog een en nog een. Net zolang tot er een flinke sta-pel lag. Toen sprong Tom uit de container. Hij pakte de aansteker en knielde naast de stapel.

Maxx keek om zich heen. 'Weet je zeker dat niemand ons kan zien?' vroeg hij.

'Zeur niet zo,' antwoordde Tom. 'Op zondag komt hier niemand.' Hij opende de aansteker en draaide aan het wieltje. Een vlammetje sprong omhoog en raakte het hout. Kort daarna begon het te bran-den.

'Hij doet het!' riep Maxx. Maar hij had te vroeg gejuicht. Het vuur doofde langzaam en liet een zwarte brandplek achter op het hout. Ze probeerden het nog twee keer maar het lukte niet.

'We hebben wat anders nodig om het vuur te helpen,' zei Tom.

'Papier,' riep Maxx. 'Dat fikt goed.' Hij trok een paar bruine papie-ren zakken uit de container en gooide ze op de stapel. Dit keer vloog het hout snel in brand.

Maxx staarde in de vlammen. Het leek wel of de wereld om hem heen niet meer bestond. Het hout knetterde en vonkte. De vlam-men werden steeds hoger. Ze waren prachtig oranje en rood. Helemaal onderaan zag hij zelfs blauw. De hitte was heerlijk en hij stak zijn handen uit. Dit was het mooiste wat er was. Hij keek naar het raam van het gebouw. Het leek wel of de ruit trilde, zo groot en eng weerspiegelde het vuur erin.

Hij schrok toen er iets bovenop de stapel viel. Tom stond weer in de container en gooide nog meer afval naar beneden.

'Dit wordt de grootste brandstapel van de hele wereld,' riep Tom. *Boem*, daar ging nog een stuk hout en nog een.

Maxx rende naar hem toe. 'Het aller-allergrootste vuur,' schreeuwde hij.

Samen gooiden ze er steeds meer spullen bij. Vonken schoten door de lucht. Vlammen volgden elkaar in een razend tempo op. Elk stukje hout stond nu in brand...

Pang! Een oorverdovend lawaai klonk toen de ruit van het gebouw kapot sprong. Glasscherven vlogen in het rond en vielen kletterend op de stoep. Direct daarna ging er een alarm af.

Maxx stond stokstijf in de container. Zijn vingers omklemden een stuk hout toen hij een glasscherf in de mouw van zijn nieuwe jas zag hangen. Geschrokken keek hij naar het gebouw. De witte muur was voor een groot gedeelte helemaal zwart geworden. De lamellen voor de ramen vatten vlam en het alarm gilde maar door.

'Wegwezen!' riep Tom. Hij sleurde Maxx mee.

Ze sprongen uit de container en holden weg. Zo hard ze konden.

In de verte klonk de sirene van de brandweer.

Maxx rende en rende. Weg! Hij moest zo ver mogelijk weg! De stenen vlogen voorbij onder zijn voeten.

Hoefde hij maar nooit meer te stoppen.

'Wat een herrie was dat vanmorgen met die sirenes,' zei Maxx' vader. Ze zaten aan tafel te eten. Maxx speelde met een stukje brood op zijn bord. Hij had helemaal geen trek.

'Nou! Het is een flinke brand geweest,' antwoordde zijn moeder. 'Ik hoorde het van de buurvrouw. Een kantoorpand heeft behoorlijke schade opgelopen. Het is begonnen met een klein vuurtje. Vermoedelijk aangestoken door een paar kinderen.'

Maxx voelde zich helemaal misselijk worden. Had iemand hen dan

toch gezien? Het geluid van het knappende glas klonk steeds maar in zijn hoofd. Moest hij vertellen wat er was gebeurd? Hij stroopte zijn mouwen op. Pffff. Wat was het heet! Het leek wel of hij weer naast het vuur stond. Toch voelden zijn handen aan als ijsblokjes.

Hij had Tom beloofd niks te zeggen. 'Dit is ons geheim,' had Tom geroepen. 'Zweer het!' Samen hadden ze tussen hun vingers door op de grond gespuugd.

'Heb jij de brandweerauto's nog zien rijden?' vroeg zijn moeder in-eens aan hem. 'Jij was toch buiten aan het spelen?'

Maxx durfde niet op te kijken en schudde zijn hoofd. Het leek wel alsof er een kei in zijn maag lag. Hij mocht niets zeggen. Maar aan de andere kant. Als ze er later achter zouden komen… Hij kende hen goed genoeg. Snel nam hij een besluit. Hij keek op naar zijn moeder en opende zijn mond. Het was tenslotte niet zijn idee ge-weest.

'Gelukkig weet jij nog van de vorige keer hoe gevaarlijk het is om met vuur te spelen,' zei zijn moeder. Ze keek hem streng aan. 'Nietwaar?'

Maxx knikte. Vlug sloot hij zijn mond weer.

Straks. Straks zou hij het vertellen.

Na het eten ging Maxx naar zijn kamer en plofte neer op zijn stoel voor het bureau. Hij maakte een tekening van een brandend vuur. Met felle halen trok hij oranje strepen van beneden naar boven. Brand, brand, brand, gonsde het door zijn hoofd. Hij kon aan niets anders meer denken. Hij ruilde het oranje potlood om voor een ro-de en vulde de witte vlakken tussen het oranje op. Wat als de politie straks zijn vingerafdrukken vond op het hout? Dan kwamen ze hier aan de deur. Het potlood kraste wild over het blad. De politie vond de daders altijd! Dat had zijn moeder zelf gezegd. En dan wilden zijn ouders vast niks meer met hem te maken hebben. Hoe had hij stom kunnen zijn!

'Maxmiliaan!' riep zijn moeder. 'Hier komen! Nu!'

Maxx hield zijn kleurpotlood meteen stil boven het blaadje. Ze wist het! Zijn handen trilden toen het potlood eruitviel. Snel propte hij het blaadje in elkaar en gooide het in de prullenbak. Zie je wel! Hij had het meteen moeten zeggen. Met wiebelende benen liep hij zijn kamer uit.

Beneden aan de trap stond zijn moeder met zijn jas in haar handen. 'Hoe komt die scheur in je mouw?' Ze keek hem boos aan.

'Ik eh…' Maxx stotterde.

'Je weet toch dat dit je nette jas is?' zei ze.

Maxx knikte en keek naar zijn tenen. Hij haalde diep adem. Nu ging hij het vertellen! Hij zou zeggen hoe het kleine brandje per ongeluk groter werd. Hoe de ruit ineens was gesprongen. En hoeveel geluk hij had dat de scherf in de mouw van zijn jas was gekomen en niet in zijn hoofd. Daar zou ze vast wel blij mee zijn. 'Tom en ik hebben…' begon hij.

Zijn moeder liet hem niet uitpraten. 'Ja, ja, ja. In de bosjes gespeeld,' zei ze. 'Maar dan moet je je oude kleren aantrekken. Dat heb ik je al honderd keer gezegd. Zit er soms kauwgum in je oren?'

Maxx slikte een brok lucht door in zijn keel. Ze wist nog van niks. Wat moest hij nu? Waarom wilden de juiste woorden niet uit zijn

mond komen? Alles wat hij hoefde te zeggen was dat hij samen met Tom het vuurtje had gestookt. Maar dat die grote brand niet de bedoeling was geweest. Dat het vuur zo mooi was dat hij alles om zich heen was vergeten. Dat hij...

'Nou?' vroeg zijn moeder. 'Krijg ik nog een antwoord?'

Maxx keek omhoog. 'Ik... wij...' Hij balde zijn handen samen tot vuisten.

Hij kon het niet.

'Ik ben met mijn jas achter een tak blijven hangen,' antwoordde hij heel zachtjes.

Hij keek opnieuw naar zijn tenen. Liegen deed hij nooit. Tranen prikten in zijn ogen. Zonder op antwoord te wachten, rende hij de trap op. Boven op zijn kamer dook hij op zijn bed en stopte zijn hoofd onder het kussen.

Vanavond. Vanavond zou hij het vertellen.

Hij trok het kussen nog verder over zijn hoofd. Kon hij maar voor altijd blijven liggen.

'Is het niet lekker?' vroeg zijn vader 's avonds aan tafel.

Maxx prikte lusteloos met zijn vork in de aardappelen. 'Nee,' zei hij zacht.

'Je bent toch niet ziek?' Zijn moeder legde haar hand op zijn voorhoofd.

Maxx schudde zijn hoofd. Op de achtergrond stond de televisie aan op de plaatselijke zender. Hij dacht dat hij flauw zou vallen toen hij vanuit zijn ooghoeken ineens de brandweer zag. Ze blusten het vuur naast een container. Hun container! Zijn vork kletterde op zijn bordje.

Zijn moeder fronste haar wenkbrauwen. Daarna keek ze naar de televisie.

'Jij hebt daar toch zeker niks mee te maken, hè?' vroeg ze.

'Wat?' Maxx raakte in paniek Zijn hoofd voelde ineens aan als een grote luchtballon. Het was alsof hij ging zweven. Ver weg van iedereen.

Zijn moeder pakte zijn kin vast en draaide zijn gezicht naar zich toe. Maxx kwam weer terug op aarde. Nu! Nu moest hij het zeggen! Hij opende zijn mond.

'Welnee. Zoiets doet onze zoon niet,' zei zijn vader. 'Zo is het toch, Maxx?'

Maxx knikte. Zijn mond stond nog open. Weer een leugen! Morgen… morgen zou hij het echt vertellen!

De volgende dag was Maxx al heel vroeg op. Hij had nog nooit zo slecht geslapen. Steeds weer was hij wakker geworden en had hij de torenhoge vlammen voor zich gezien. Daarom moest hij het vandaag zeggen. Maar zijn ouders zouden woest zijn. En dat maakte het zo moeilijk! Maxx zuchtte. Kon hij het niet aan iemand anders vertellen?

Hij sprong uit bed. Een brief schrijven aan de brandweer! Dat was het! Die stopten geen mensen in de gevangenis en gaven geen straf. Zij blusten alleen maar vuurtjes. En als het voor hen dan was opgelost, zouden zijn ouders het nooit te weten komen. Waarom had hij dat niet eerder bedacht! Snel ging hij achter zijn bureau zitten en scheurde een blaadje uit zijn schrift. Alle woorden die gisteren de hele dag in zijn hoofd hadden gezeten, vloeiden in een keer uit zijn pen. Twee vol geschreven vellen stopte hij in een envelop. Bovenop schreef hij zijn naam. Nu hoefde hij de brief alleen nog maar te bezorgen.

Tussen de middag liep Maxx snel naar huis. Vanaf het moment dat hij de brief bij de brandweer in de bus had gegooid, voelde hij zich een stuk beter. Hij had ook eindelijk weer zin in eten. Hij kon wel een heel brood op.

Hij zette zijn vinger op de deurbel van zijn huis maar voor hij kon drukken deed zijn moeder de deur al open.

'Ik heb drakenhonger,' zei Maxx. Hij liep langs haar heen naar de huiskamer en zwaaide de deur open. Als een standbeeld bleef hij in de opening staan. Op de bank zat een politieagent. In zijn hand hield hij de brief van Maxx.

'H… hoe…' stamelde Maxx. Weg, dacht hij. Ik moet hier weg. Maar zijn benen luisterden niet.

'Heb jij deze geschreven?' vroeg de agent rustig.

Maxx durfde hem niet aan te kijken. 'Ja,' zei hij schor.

'Dat was heel moedig van je,' zei de agent.

Maxx keek op. De agent klonk helemaal niet boos.

'Moet ik…' Maxx haalde diep adem. 'Moet ik de gevangenis in?'

De agent schudde zijn hoofd. 'Nee, maar de schade moet wel betaald worden en daarom heeft de brandweer mij gestuurd.'

'Dus ik krijg geen straf?' vroeg Maxx opgelucht.

'Daar hebben we het nog wel over,' antwoordde zijn moeder zacht.

Maxx keek naar de agent. Erger dan de gevangenis kon het vast niet worden.

Van Maaike Fluitsma is het volgende boek verkrijgbaar:

Toby en Kat 4-ever

Marianne Witte

Niet verder vertellen

'Vanaf nu moet het dus afgelopen zijn,' zegt mama. 'Het is vies en ongezond.'

Do zucht. Dit had ze al aan zien komen. Mama had gezegd dat het nog mocht tot haar verjaardag, maar daarna was het over en uit. Klaar. Ophouden ermee.

En sinds gisteren is ze acht.

'Nog één jaartje?' smeekt ze.

Mama schudt beslist haar hoofd. Ze kamt ondertussen de dikke zwarte krullen van Do.

'Au! Je trekt te hard!' schreeuwt Do.

'Sorry,' zegt mama.

'Wat krijg ik als het lukt? Zeker van die kinderachtige stickers, hè!' snuift Do. Ze wijst op een velletje van Teun, haar kleine broertje.

'Denk je dat een beloning helpt?' vraagt mama. Ze maakt twee vlechten in het haar.

Do knikt verheugd. Wat een buitenkans! Ze stelt meteen wat dingen voor: een eigen tv, een pony, een nieuwe fiets. Of een hoogslaper, zegt ze er nog snel achteraan.

Mama schiet in de lach. 'Dat kun je allemaal wel op je buik schrijven!'

'Huh?'

'Dat krijg je dus niet,' legt haar moeder uit.

Beledigd trekt Do haar neus op. Maar als mama zegt dat ze elke maand mag kiezen tussen een boek of de bioscoop, zegt ze toch ja.

Maar het is niet makkelijk.

Tijdens het tv kijken, het voorlezen, voor ze gaat slapen. En als mama haar haren kamt. Dat zijn de moeilijkste momenten. Dan doet Do het automatisch. En dat mag dus niet meer.

Op een dag krijgt Do oorontsteking. Met warme wangen van de koorts ligt ze op de bank. Nu kan ze echt niet zonder. Hier helpt geen enkele beloning meer. Met zulke zere oren heeft ze trouwens toch geen zin in een boek of een film.

'Kindje toch,' zegt mama als ze ziet dat Do het toch doet. 'Dit telt niet mee, hoor.'

Maar Do weet één ding zeker. Het is niet vies! Het is fijn!

Waarom moet ze ermee stoppen? Omdat de tandarts zegt dat het niet goed is? Omdat je dan een beugel moet? Haar nicht Willemijn heeft een blitse blokjesbeugel in discokleuren. Puh, wat is daar nou zo erg aan?

Om op te knappen mag Do bij oma en opa logeren. Helemaal alleen, zonder Teun. Ze doet allemaal grote-kinderen-dingen met opa en oma. In het zwembad van de hoogste glijbaan, taart bakken en laat opblijven.

Do en oma kijken samen naar een video van de Lion King. Do heeft hem al vaak gezien. Elke keer hoopt ze dat de leeuwenkoning dit keer niet dood zal gaan. Maar helaas…

'Hé,' zegt oma. 'Dat mocht toch niet meer?'

'Nee!' zegt Do boos. 'Hij mag niet meer doodgaan!'

'Gekkie,' lacht oma. 'Ik bedoel je duim!'

'Hè?' Do kijkt verbaasd naar haar natte duim. 'Het ging vanzelf…'

'Ik vind het niet erg, hoor,' zegt oma. 'Iets leuks afleren is stomvervelend! Ik weet er alles van!'

'Duimde u dan ook?' vraagt Do verrast.

Oma schudt haar hoofd. 'Ik draaide vroeger altijd in mijn krullen. Kijk zo.'

Ze windt een lange krul om haar duim en wijsvinger en trekt die tot op haar schouder.

'Ik doe het nog vaak, vooral als ik diep nadenk.'

'Is krullen draaien dan ook vies en ongezond?' wil Do weten.

'Nee hoor, ik moest met iets anders stoppen,' zegt oma. 'Maar ik doe het lekker toch af en toe!'

Een beetje zenuwachtig zegt ze er snel achteraan: 'Kijk gauw, de film gaat verder!'

'Wat moest u dan afleren?' vraagt Do, maar er komt geen antwoord op.

's Avonds brengt oma haar naar bed. Ze knuffelt Do en fluistert in haar oor: 'Hier mag je best duimen, hoor… Ik zal het niet verder vertellen…' Ze perst haar lippen op elkaar. Met een zogenaamde sleutel draait ze haar mond op slot.

Do giechelt. 'Maar dan leer ik het toch nooit af!'

'Ach, wat zou het!' zegt oma. 'Als je twintig bent duim je heus niet meer! Dat gaat vanzelf.'

'Echt waar?' zegt Do vol ontzag. 'Maar de tandarts zegt…'

Oma maakt een wilde zwaai met haar hand.

'Tandartsen, dokters… ze weten het allemaal zo goed. Maar wij moeten het doen!' fluistert ze. Het klinkt boos.

Do snapt er niks van. Wat moet oma dan doen? Of juist niet meer doen?

Maar oma zegt alleen nog: 'Slaap lekker, lief Dodootje!' en laat de deur op een kier staan.

Met een zucht doet Do haar duim in haar mond. Mmm… als een tevreden poesje krult ze zich op onder het dekbed.

De volgende dag maakt Do een tekening. Opa is buiten zijn fietsband aan het plakken.

En oma voert een telefoongesprek.

Eerst heeft Do het niet zo in de gaten. Maar ineens valt haar op dat oma fluistert.

'… Bij de vijver…' hoort ze nog net.

En dan legt oma de telefoon neer en gaat luidruchtig koffie zetten.

De rest van de ochtend is oma nogal stil. Vreemd, want ze praat juist altijd heel veel en gezellig. Opa merkt het ook.

'Heb je soms weer last van je rug?' vraagt hij bezorgd. 'Trek dan ook wat warmers aan. Dat bloesje is veel te dun.'

'Trek zelf wat warmers aan!' zegt oma kattig. 'Ik heb nergens last van.'

'Maar de dokter heeft gezegd…' begint opa.

'Ja, ja, ik weet het!' blaast oma. 'Dit mag niet, dat mag niet! Denk om je rug, Dorothé! Ik ben het spuugzat. Ik ben toch geen watje!'

Plotseling kijkt ze op de klok en springt op. Ze grijpt Do bij haar schouders.

'Kom, we gaan eendjes voeren!'

Meteen pakt ze de autosleutels en is al bij de deur.

Do grist nog gauw het oude brood mee. Dat had oma vergeten. Die zit al in de auto en toetert ongeduldig. Do stapt ook in en oma rijdt hard weg.

Een beetje verbaasd zwaait opa hen na.

Oma duwt een bandje in de cassetterecorder en draait hem vol open.

'OE-OE-EO-OEH… OE-OE-OE-OEH,' knalt het door de auto. Do vindt het wel grappig dat oma die wilde muziek leuk vindt.

'OE-OE-OE-OE-OERENDHARD!' brult de zanger. Samen wiebelen ze hun hoofd heen en weer op de maat.

Bij de vijver stopt oma. De eenden komen meteen al aangewaggeld.
Oma snuift diep de frisse lucht in. 'Lekker,' zegt ze. 'Ik was zo duf geworden van het binnenzitten.'
Ze kijkt in het rond, net of ze iemand zoekt.
Do deelt het brood uit. De zak moet ze boven haar hoofd houden,
anders pakken de eenden hem zo uit haar hand.
Ineens schrikken ze en vliegen alle kanten op.
Achter Do klinkt een luid geronk en geplof. Het komt van een
groepje motorrijders. Eén voor één stappen ze af. Als ze hun helmen
afdoen, ziet Do dat er ook een vrouw bij is. Er springt zelfs een
hondje uit haar zijspan! Hun leren jassen hangen ze over de motoren.

Oma zwaait naar de groep. Ze heeft hen hier zeker wel vaker gezien, denkt Do en gooit een hand kruimels tussen de eenden.

Eén van de mannen schenkt koffie uit een thermoskan en deelt koek uit.

De eendjes komen nu nieuwsgierig dichterbij.

Net als oma.

'Ook een bakkie?' lacht een man met een dikke baard.

Dat laat oma zich geen twee keer zeggen.

Het hondje springt vrolijk tegen Do op. De eenden zijn bang voor hem, maar niet voor de koekkruimels. Het wordt een leuk spelletje van wegjagen en weer terugfladderen.

Ondertussen praat oma honderduit met een vrouw uit de groep.

Do rent met de hond achter de eenden aan. Als oma klaar is met kletsen komt ze haar vast wel halen. Ze hoort een motor starten, maar let er verder niet op.

Ineens komt de motor met zijspan haar ploffend voorbijrijden.

Hé... bekende jas, denkt Do. En onder die helm wapperen bekende krullen.

Hè?!

'Wat heb jij een leuke oma!' klinkt het achter haar. Het is de vrouw waar oma mee had gepraat.

'Grappig dat zij vroeger ook Moto Guzzi heeft gereden,' lacht ze.

Do staart haar stomverbaasd aan. Heeft haar oma een motor gehad? Plotseling herinnert Do zich weer wat oma aan de telefoon fluisterde. Iets over de vijver... Wist ze dat de motorrijders hier zouden zijn? Waarom deed ze daar zo geheimzinnig over?

Oma komt weer terugrijden en stopt precies voor Do.

De vrouw geeft Do een helm. 'Hier, zet maar op. Kun je een rondje mee in het zijspan!'

'Fantastisch!' schreeuwt oma boven het geronk van de motor uit. Ze wijst naar Do en het zijspan.

Opgewonden stapt Do in. Ze zit net, als het hondje keffend komt aanrennen. Hij neemt een spurt en... springt op haar schoot! Oma geeft zo snel gas, dat Do achterover gedrukt wordt. De eenden vliegen snaterend op.

Do voelt de koude wind door haar dunne jas heen waaien. Het hondje verwarmt haar benen. Wat is dit leuk! Ze zwaait uitbundig naar de groep als ze voor de derde keer langsrijden.

Dan stopt oma. Ze geeft de helm terug aan de vrouw en zucht: 'Dit heb ik zo gemist…'

'Ik wist niet dat u…' begint Do.

Maar oma legt een vinger op haar lippen. Dan pakt ze de vrouw met twee handen vast en geeft haar een dikke zoen. 'Hartstikke bedankt maar weer!'

'We bellen!' roept de vrouw lachend.

Alle picknickspullen worden ingepakt. De leren jassen aangetrokken, helmen opgezet en met brullende motoren rijdt het groepje weg.

Ineens is het stil. Ze horen alleen nog zachte geluidjes van de eenden die naar kruimeltjes zoeken.

Oma zucht. 'Dit heeft de dokter dus verboden. Slecht voor mijn rug.'

Ze vertelt over vroeger. Over haar eigen motor. Een mooie glimmende. Opa vond het maar niks, hij durfde nooit mee.

Toen ze een keer van een ladder was gevallen, kreeg ze last van haar rug. Van het schokken en de kou op een motor wordt de pijn erger.

'Maar u doet het stiekem toch!' lacht Do.

Oma knikt. 'Ik mag soms een rondje op haar motor. Om het af te leren!'

Ze grinnikt: 'Maar niet tegen opa vertellen, hoor!'

'Alleen als ik dan soms bij u mag komen duimen,' giechelt Do. 'Om het af te leren!'

Van Marianne Witte zijn de volgende boeken verkrijgbaar:

Basisschool Pierewiet
Een huis vol herrie
De eilandheks

Dit zijn voorlopig de laatste bladzijden uit Floortjes schrift. Deze keer is ze een beetje geholpen. Als je het GEHEIMSCHRIFT nr.③ hebt ontcijferd, dan weet je door wie. En anders moet je dat nog gauw even uitvissen!

DE SCHAT VAN GUATAVITA

In het Andesgebergte, aan het Guatavita-meer, leefden de Muisca-Indianen. Een keer per jaar voer het opperhoofd naar het midden van het meer. Hij gooide de mooiste gouden schatten overboord, om de God van het Meer gunstig te stemmen. Later probeerden goud-zoekers het meer droog te scheppen in de hoop de schatten terug te vinden. Dat is nooit gelukt. De schatten zullen wel voor altijd verborgen blijven, want sinds 1965 is het meer een natuur-reservaat en mag er niet meer geschept of gedoken worden.

DE STEEN DER WIJZEN

De Steen der Wijzen is niet zo maar een verzinsel van de schrijfster J.K. Rowling. Eeuwenlang zijn mensen ernaar op zoek geweest. Met die steen zou je van gewoon metaal goud kunnen maken en zelfs altijd door kunnen leven. Geen wonder dat iedereen die steen wilde bezitten. In 1680 dacht Palombara, een Markies uit Rome, dat hij de formule in handen had om de steen te kunnen vinden. Alleen... hij snapte die formule niet. Hij liet hem in marmer graveren in de hoop dat er iemand zou komen die hem wel kon ontcijferen. Dat is nooit gebeurd. De formule is nog steeds te lezen op de PORTA MAGICA in het hartje van Rome.

DE VLIEGENDE HOLLANDER

Matrozen, hoog in
een kraaiennest,
zagen soms een vreemd
verschijnsel. Een geheimzinnige
zeilboot, die hoog door de lucht vloog.
Dan schreeuwden ze het uit van schrik!
Waarschijnlijk is het net zoiets als een
FATA MORGANA in de woestijn. Als
opstijgende warme lucht tegen koude lucht
botst, wordt de grens tussen die twee lagen
een soort spiegel. De vliegende boot was
dus gewoon een varende boot die in de
lucht werd weerspiegeld.

ADACADABRA

Ken je de truc met de knallende knikker
Of het GEHEIM van de zilveren roos?
ADACADABRA, een dansende kikker!
Floep springt ie terug in de doos.

Ken je de truc met de sprekende stenen
Of het GEHEIM van de muis in het blauw?
Zeven keer klappen, is ie verdwenen
piept ze opeens uit mijn mouw...

Ken je de truc met de glimmende glazen
Of het GEHEIM van de geest in de fles?
ADACADABRA, je blijft je verbazen
applausje voor Pientje de goochelares!

GEHEIMSCHRIFT ④

(Spiegelschrift! Als je dit niet kunt lezen, pak je er
maar een spiegeltje bij!)

geef joni tfeel ee zee dube cite zorbdlot:
wewew witpazravijtaballaht .zl
ment zee wobatrijbo no feel reel feobden .nieze eienzo jorpzen taoA!

Diet Verschoor

Pien

Jesse woonde midden in de stad aan een kleine gracht. Het huis was hoog en een klein beetje scheef. Op de derde verdieping was de kamer van Jesse en ook die van Elsbeth, zijn oudere zus. Aan de achterkant van de huizen was een gezamenlijke binnentuin die met een grote poortdeur werd afgesloten naar de zijstraat. In de hal die de huizen verbond was een keldertrap die naar de verschillende bergingen liep. Jesses vader had een grote zes op de deur van de berging ge-schilderd.

'Het is een vies hok, het stinkt, het is er vochtig,' had Jesses moeder gezegd, 'gelukkig is het huis groot en hoeven we nooit iets in die kelder te zetten.'

Toch kwam er een oude werktrap in te staan die helemaal onder de verf zat, een paar half kapotte hengels, een afgedankte stoel en een doos boeken.

Ze woonden nog maar een paar weken in het huis. Alles was nieuw: de stad, de buurt, de school. De eerste schooldag liepen Elsbeth, Jesse en hun vader naast elkaar naar school.

'Als je maar niet denkt dat ik morgen samen naar school ga,' zei Elsbeth, haar stem klonk een beetje bozig en haar wangen waren rood.

'Ik vind een nieuwe school ook eng,' zei Jesse.

'Eng? Ik vind het helemaal niet eng, bangerd!'

'Je bent zelf een bangerd.'

'Nietes.'

'Welles.'

'Zo kan het wel weer,' zei Jesses vader.

Elsbeth was zo verdwenen in een lokaal, zij wilde niet met haar vader en broertje gezien worden. Jesse stond even rond te kijken in de gang.

'Daar moet jij naartoe,' zei z'n vader en wees naar een man met grijze krullen die hen vriendelijk begroette. 'Jij moet Jesse zijn, jij bent verhuisd van een dorp aan de zee naar de hoofdstad van het land. Dat is een hele verandering! Ik zal je de groep wijzen, Jesse, kom maar mee.'

Hij kreeg een plaats naast Dirk en daarna was er eigenlijk niets vreemds meer. Dirk bleek in dezelfde rij huizen te wonen. Hij vertelde dat hij de verhuiswagen had zien staan en nou zaten ze opeens naast elkaar.

'Hartstikke goed,' had Dirk gezegd, 'aan het grachtje wonen alleen maar meiden, kunnen we 's avonds voetballen.'

Dirk maakte hem snel wegwijs in de stad. Hij nam Jesse mee naar het voetbalveldje in de buurt, hij wees de snackbar waar heerlijk ijs te koop was, hij leerde Jesse de muzikanten kennen die elke dag in de buurt speelden en vertelde over de zwervers die vaak op straat sliepen en soms bedelden.

'Als ze werken kunnen ze toch zelf brood kopen,' zei Jesse.

Dirk lachte hem uit. 'Je begrijpt er niets van, werken. Ze weten niet wat werken is, ze willen helemaal niet werken. Jij begrijpt niks van de stad.'

Op een dag toen Dirk en Jesse samen uit school bij de poort van de binnentuin kwamen, zat daar een meisje. Ze droeg vuile kleren, grote oude schoenen en gestreepte rode sokken. In haar haar had ze een heleboel verdroogde gekleurde vlechtjes.

Ze zat daar zomaar op straat tegen de poort geleund en leek niet ouder dan een jaar of veertien. Ze keek met een boos gezicht naar de jongens en zei toen: 'Hebben jullie een boterham voor me? Ik stik van de honger.'

Een boterham? Jesse trok zijn wenkbrauwen op. Een boterham kon je toch gewoon thuis pakken, wat was dat voor onzin?

'Kijk niet zo stom, ik ben weggelopen van huis en ik heb honger.'

'Ik haal wel een boterham,' zei Jesse en liep snel door de tuin naar zijn huis. Er was niemand in de keuken. Hij pakte twee boterhammen uit de broodtrommel en een paar plakken kaas uit de koelkast, propte de kaas ertussen en sloeg de boterham dubbel. Buiten griste het meisje het brood uit zijn hand en binnen een paar tellen was het verdwenen.

'Ik ben niet voor niks weggelopen. Mijn moeder ziet mij niet meer zitten en mijn vader, nou ja weet ik veel waar die uithangt. Daar snappen jullie natuurlijk niks van.'

Jesse en Dirk begrepen er inderdaad niets van. Wat was er dan gebeurd? Ze zagen dat het vreemde meisje blauwe plekken op haar benen had en vuile nagels aan haar vingers. Boven haar ogen was een diepe frons.

'Wonen jullie hier?'

Ze knikten allebei tegelijk en wisten even niets meer te zeggen.

'Niet gek om hier te wonen, rijke stinkerds,' zei het meisje voor zich uit.

'Waar slaap je dan?' vroeg Jesse.

'Vannacht sliep ik in het park, onder een struik in een plastic zak. Doodeng, ik durf het niet nog een nacht. Weten jullie niet een plekje waar ik kan slapen?'

'Misschien in onze berging,' zei Jesse, 'het is er wel koud, maar er komt nooit iemand.'

'Echt? Kan dat?' Het meisje stond op. Ze was veel langer dan de jongens.

'Ik heet Pien,' zei ze nu, 'willen jullie mij echt helpen?'

'Natuurlijk,' zei Dirk, 'we zullen je niet verraden. En ik weet wel een slaapzak en een kampeermatrasje te liggen die kunnen we pakken. Kom op.'

'Jullie zijn hartstikke tof,' zei Pien, 'maar jullie mogen tegen niemand iets zeggen, het moet een geheim blijven.'

Jesse lachte een beetje zenuwachtig. Het begon spannend te worden. Hij dacht: waarom komt ze niet gewoon bij ons wonen? Er is nog een kamer over in het huis. Zijn vader en moeder zouden het vast goed vinden, maar hij durfde niets te zeggen.

In huis wist hij snel de goede sleutel te vinden, die in een sleutelkastje hing.

'Kom maar achter ons aan,' zwaaide hij bij de deur van de poort.

Achter elkaar gingen ze de keldertrap af. Gelukkig was er niemand. Jesse opende de deur van nummer zes en Dirk zocht in de berging van nummer acht naar de slaapzak en de matras.

'Wat goed hier, te gek! Oh, en boeken, een heleboel boeken, ik kan nog lezen ook,' riep Pien.

Dirk duwde de matras naar binnen en rolde de slaapzak uit.

'Tof,' zei ze. 'Misschien willen jullie nog wat drinken brengen? Gewoon een fles water.'

'Ik heb al koekjes en twee appels meegenomen,' zei Dirk en legde zijn voorraad op de ingezakte stoel.

'En nou opdonderen,' zei Pien, er was een snik in haar stem. 'En als jullie hier naartoe komen, moeten jullie drie keer bonken op de deur, dan weet ik dat jullie het zijn. Schiet op, ik wil alleen zijn. Denk maar niet dat het leuk is om weg te lopen. En vergeet niet dat het een geheim is. Niemand mag het weten.'

Ze beloofden het. De deur ging dicht en Pien draaide de sleutel om. Ze renden de trap op. Aan tafel was Jesse afwezig, het eten smaakte hem niet. Hij moest voortdurend aan het meisje denken dat nu alleen in het berghok in de slaapzak lag. Hij sneed een stuk worst af en liet dat in zijn servet gerold in zijn broekzak verdwijnen. Zwijgend at hij zijn bord leeg.

'Is er iets met jou?' vroeg zijn moeder en keek hem onderzoekend aan.

Hij kreeg een kleur. 'Nee, wat zou er zijn?' Hij ging rechtop zitten.

'Jij hebt iets op je geweten,' zei Elsbeth plagerig, 'ik zie het aan je gezicht, je verbergt iets.'

'Houd je kop,' zei Jesse en schopte onder de tafel tegen haar benen.

Nog voor de maaltijd was afgelopen stond Dirk alweer in de keuken. 'Zullen we nog even voetballen?' vroeg hij.

'Niet langer dan een half uur,' riep zijn vader hem na, 'het wordt al vroeg donker.'

Ze gingen helemaal niet voetballen, maar direct weer naar de keldertrap.

Toen ze daar aankwamen, waren er twee buurmannen een kast aan het versjouwen. 'Zo jongens, helpen jullie een handje, houd even de deur voor ons open.'

Het duurde lang voordat de kast de trap was opgesjouwd. Het duurde nog langer voordat alle bergingsdeuren weer waren afgesloten en er niemand meer was. In de gang begon het al schemerig te worden. Ze bonkten drie keer op de deur. Heel voorzichtig ging de deur open. Ze zagen allebei dat Pien had gehuild, er liepen rare zwarte strepen over haar wangen.

'Hartstikke goed, jullie zijn echt tof,' zei ze toen ze zag dat Jesse worst en Dirk een hele ontbijtkoek en een komkommer had meegenomen.

'Waarom ben je eigenlijk weggelopen?' zei Dirk.
'Omdat ze me altijd slaan,' zei Pien koel en begon te snikken. Al snikkend werkte ze de worst naar binnen. 'Kijken jullie niet zo achterlijk.'
'Moet je niet naar school?' vroeg Jesse.
'School, ik naar school. Ik moet altijd mijn moeder helpen en ik doe nooit iets goed. Kijken jullie maar op het journaal of ik soms word vermist.'
'Ik mag niet naar het journaal kijken, alleen het jeugdjournaal,' zei Jesse en weer had hij het gevoel dat hij beter alles tegen zijn ouders kon zeggen. Ze kon toch niet altijd in de berging blijven wonen?

'Hoe moet het met plassen?' vroeg Dirk.

'Gewoon in de struiken van jullie tuin,' zei Pien, 'straks als het helemaal donker is. En nou opdonderen. Hoe oud zijn jullie eigenlijk?'

'Bijna tien,' zei Jesse, hoewel hij nog maar net negen was.

'Bijna elf,' loog Dirk.

'Kleuters. En nu wegwezen. Die worst was zalig en die koek vreet ik straks helemaal op.'

Nadat de sleutel weer was omgedraaid, liepen ze met grote stappen de keldertrap op.

Het waren wonderlijke dagen die volgden. Goed slapen konden ze allebei niet meer. Jesse droomde verschrikkelijke dingen. Hij zag de hele tijd Pien door een groot doolhof rennen, ze gilde het uit. Een man een vrouw renden allebei met een stok achter haar aan. Soms werd hij met een schreeuw wakker en dan lag hij bang en heel stil in het donker in zijn bed. Eigenlijk was het niet goed om zo'n geheim te hebben, dacht Jesse. Maar een verrader wilde hij niet zijn.

De kamer van Dirk was aan de achterkant van het huis en keek op de binnentuin. Elke keer als hij wakker was, sloop hij zijn bed uit en verbeeldde zich dat hij Pien in de struiken zag sluipen om te gaan plassen. Dirk dacht aan de grote spinnen die in de berging liepen en hij zag de hand van Pien voor zich, die met een ruw gebaar de spinnen had doodgedrukt. 'Van een spinnetje hoef je niet bang te zijn, er zijn wel ergere dingen,' had ze gezegd.

Er gingen een paar dagen voorbij. Elke ochtend voordat ze naar school gingen verdwenen ze op de keldertrap naar de berging en bonkten drie keer op de deur.

'Ik wil slapen idioten,' zei Pien, maar ze deed toch de deur open en pakte de boterhammen aan die ze voor haar hadden gesmeerd.

Maar 's middags was ze blij dat Jesse en Dirk kwamen en dan vroeg ze wat ze hadden gedaan op school en of ze soms een van beiden een zusje hadden. Jesse vertelde over Elsbeth en Pien vroeg of die Elsbeth soms dezelfde schoenmaat had. Ze had schoenen nodig en misschien kon Jesse die wel voor haar pakken uit haar kast.

'Maat achtendertig,' zei Pien. 'Als de een niks heeft en de ander alles, is het geen stelen maar gewoon opnieuw verdelen.'

'Ze heeft wel gelijk,' zei Dirk toen ze terugliepen, 'Elsbeth heeft vast wel tien paar schoenen.'

Het klonk opeens belachelijk veel. Jesse knikte. 'Maar stel je voor dat ze erachter komt dat ik die schoenen heb gepikt?'

'Voor het goede doel,' zei Dirk stoer, maar hij was wel blij dat híj geen zusje had.

Bijna ging het een keer mis met het eten pakken uit de koelkast. Jesse was net bezig een groot stuk kaas af te snijden, toen zijn moeder binnenkwam.

'Aha, nu zie ik wie de muis is die overal aan knaagt,' zei ze. 'Laat dat, Jesse. Eerst de kaas, dan de worst, gisteren een stuk pudding weg, ben jij nou gek? Je mag fruit pakken van de schaal, maar van het eten in de koelkast blijf je af.'

Jesse nam een hap van de kaas. 'Ik heb zo'n verschrikkelijke honger,' zei hij. Maar zijn stem klonk vreemd en zijn moeder bleef heel lang naar hem kijken zodat hij maar snel naar buiten verdween.

Diezelfde avond nam hij de rode laarzen weg uit de kast van zijn zus. Ze had inderdaad dezelfde maat. Die laarzen droeg ze bijna nooit, dacht Jesse. Hij rolde ze in een krant en stopte ze eerst in zijn eigen kast om ze na het eten naar Pien te brengen.

'Mogen we het nog wel langer geheimhouden?' vroeg Jesse toen ze samen de trap afliepen.

'We kunnen niet meer terug, we kunnen toch geen verraders worden?' zei Dirk.

De laarzen pasten precies, Pien liep er trots op heen en weer in de berging. 'Jullie zijn echt stoer,' zei ze, 'moet je zien hoe goed ze staan.' Maar opeens huilde ze weer en plofte neer op het bed. Maar het huilen was ook zo weer voorbij. 'Weet je waar ik zo'n ontzettende trek in heb,' zei Pien, 'in patat met, denken jullie dat jullie patat kunnen halen bij de snack? Ik heb nog een euro. Hebben jullie nog wat?' Pien keek hen met betraande ogen aan.

Natuurlijk hadden ze wat. Ze legden broederlijk hun zakgeld bij el-

kaar en samen met de euro van Pien kochten ze drie patat met mayonaise en pindasaus bij de snackbar. Ze zaten naast elkaar op het kampeermatras en likten eensgezind hun vingers af.

Ze hoorden gerommel in de berging en heel snel draaide Pien de deur op slot.

'Sttt,' zei ze en doodstil zaten ze naast elkaar op de matras. In de berging hing een zware patatgeur. Even dacht Jesse dat de deur openging en dat het geheim dan voorbij zou zijn. Maar de voetstappen dropen af en de kelder was weer stil.

'Opdonderen,' zei Pien, 'voordat ze jullie gaan zoeken!'

De ochtend voordat ze naar school gingen, deed Pien niet open. Haar stem was huilerig en ze werd kwaad toen ze niet weggingen. 'Laat met me rust, ik wil slapen,' zei ze.

Toen ze na school allebei met iets lekkers weer de keldertrap af liepen, stond de deur van nummer zes een heel klein beetje open. Ze keken verbaasd en duwden de deur verder open. De berging was leeg. Het matrasje was kaal, op een klein briefje na. Met grote hanenpoten stond er geschreven: *Ik ben weg, ik heb een nieuw plan bedacht. De slaapzak en twee boeken heb ik meegenomen. De laarzen heb ik aan. Bedankt.*

'Ze is weg!' zei Jesse verbaasd.

'Echt weg? Denk je dat ze echt weg is?' vroeg Dirk, 'of zou ze straks gewoon weer terugkomen?'

Ze renden de straat op en liepen een paar rondjes in de buurt. Maar nergens was een meisje met verdroogde gekleurde vlechtjes te zien. Ze bleven heel lang buiten zoeken. Ook na het eten. Het was al bijna donker toen ze de binnentuin verlieten.

'We laten de deur nog van het slot en de sleutel aan de binnenkant erin,' zei Jesse, 'voor als ze opeens toch nog terugkomt.'

Maar Pien kwam niet terug. Iedere dag gingen ze wel drie keer kijken. Na een week draaide Jesse de sleutel om en hing hem weer terug in het sleutelkastje. Ze drentelden over de straat en besloten om weer naar het voetbalveldje te gaan, daar waren ze al die tijd dat Pien er was niet meer geweest. Even hingen ze naast elkaar over de brug voor hun huis. Jesse haalde het papiertje te voorschijn dat Pien had geschreven en scheurde het in snippers. De snippers liet hij in de gracht dwarrelen. Daar dreven ze op het water weg. Ze keken ernaar tot er niets meer te zien was.

De rode laarzen miste Elsbeth pas weken later. Iedereen zocht mee, ook Jesse. Ze hielden pas op toen Jesses moeder zei dat mensen bij elke verhuizing nu eenmaal iets kwijtraken. Dat zouden dan nu die laarzen wel zijn.

'Maar ik heb ze zelf hier in de kast gezien,' zei Elsbeth.

Ze kreeg nieuwe laarzen die ze nog mooier vond en niemand praatte er meer over.

Maar Jesse en Dirk dachten nog vaak aan Pien.

'Het geheim is over,' zei Dirk.

'Het geheim blijft altijd,' zei Jesse.

En dat was allebei waar.

Paul Biegel

Levensgevaarlijk geheim

De buurvrouw had stiekeme mensen in huis. Bart wist het zeker, want hij zag ze elke nacht in haar achtertuin. Hij was op een keer wakker geworden van de maan omdat de duistergordijnen niet goed dichtzaten, maar toen hij opstond om ze goed te doen en even naar buiten keek, zag hij donkere gestalten die met vurige ogen rondzweefden tussen de rozen op haar gazon.

Spoken! Dat was het eerste wat hij dacht, bevend van schrik in zijn pyjama, maar al gauw drong tot hem door dat de spoken niet zweefden maar liepen, dat ze armen en benen hadden, en ieder maar één oog, dat het gewone mensen waren die een sigaretje rookten. Ze heeft zeker een partijtje, dacht hij, maar de volgende nacht en de nachten daarop werd hij steeds weer wakker en zag ze staan roken in haar achtertuin en daarna naarbinnen gaan, één voor één door de achterdeur, hij telde er drie, soms vier.

Stiekeme mensen, lag hij te denken. Stiekeme mensen, stiekeme mensen... Wie waren dat? Wat deden ze daar bij mevrouw Deertsema? Bart had ze er nog nooit gezien, nooit iets van ze gehoord, geen voetstap, geen kuch, geen nies, geen – Woonden ze op zolder? In de kelder? In een geheime kamer, geluiddicht? En wat deden ze daar? Overdag slapen en 's nachts in de tuin staan? Of gingen ze 's nachts uit? Stiekem: om te roven en te stelen en kindertjes mee te nemen? Kwamen ze straks bij hèm? Werd er aan hun voordeur gemorreld? Bart tilde zijn hoofd op van zijn kussen om te luisteren... Maar er klonk geen enkel geluid en hij ging weer gewoon liggen, bevend van al zijn bedenksels.

Ten slotte viel hij in slaap en 'ach wat een onzin', dacht hij de vol-

gende morgen, want daar zag hij buurvrouw Deertsema haar vuilnisbak buiten zetten, doodgewoon als altijd. Ze knikte hem vriendelijk toe als altijd, liep weer naar binnen op haar sloffen als altijd:
die had toch geen roversbende in huis? Wie verzint zoiets!

Maar elke nacht werd hij wakker, alsof er een wekker afging in zijn
hoofd, dan *moest* hij naar zijn raam en tussen de duistergordijnen
door naar buiten gluren, om te zien of ze er weer stonden, en elke
nacht stonden ze er: de donkere gestalten met hun vurige spook-
ogen, de rovers van mevrouw Deertsema, sigaretten rokend en vui-
ge plannen makend. Er was geen twijfel mogelijk, het was wèl waar.
En zo zat hij nu ook overdag alleen maar te denken aan de roversbende van buurvrouw op haar bruine sloffen met pompoenen.

'Wat zit jij toch te dromen, jongen!' riep de meester op school.

'Jij mag niet meer meedoen!' riepen zijn vriendjes nadat hij voor de
zoveelste keer de bal had gemist.

'Ben je ziek, jongen?' vroeg mama. 'Zal ik je koorts meten?'

Maar hij had geen koorts, was niet ziek, wilde niet in bed liggen. Hij
wist zich geen raad met dit vreselijke geheim dat hij aan niemand

durfde vertellen uit angst dat de rovers erachter zouden komen en hem zouden komen pakken.

'Hé, dag Bart!' riep buurvrouw hem op een ochtend toe. Ze kwam naar buiten met de vuilnisbak juist toen hij de voordeur achter zich dichttrok om naar school te gaan. 'Gaat het goed met je? Zeker al gauw vakantie, hè?'

Hij verstijfde in zijn voetstap als een stilgezette film, keek in haar vriendelijke gezicht alsof hij een spook zag en holde weg, in één run helemaal tot school, boem tegen de meester aan.

'Nou nou! Wat is er met jou aan de hand?'

Maar hij kon het niet vertellen, durfde het niet te vertellen, aan niemand.

'Hoe komt die scheur hier in je duistergordijnen?' vroeg zijn moeder. 'Jongen toch, doe je ze zo wild dicht? Wat is er toch met je aan de hand? Buurvrouw zei laatst ook al dat je zo raar deed. Alsof je bang voor haar was. Je bent toch niet bang? Of ben je bang dat de oorlog hier bij ons komt?'

Hij schudde van nee. Van de oorlog merkte je niet veel. Soldaten van de vijand marcheerden wel eens over straat, waar ze mooi bij zongen, vond hij, en er was minder te eten dan vroeger. Maar het waren eigenlijk alleen de grote mensen die het over de oorlog hadden.

'Wat is er dan met je?' vroeg moeder. 'Je hebt kringen onder je ogen. Kun je niet slapen? Lig je 's nachts wakker?'

Hij schudde weer van nee.

'Misschien moesten we maar eens naar de dokter.'

Hij schudde van nee. Heftig nu.

Maar het werd veel erger. Toen hij uit school kwam, zei mama: 'Mevrouw Deertsema heeft gevraagd of we een kopje thee komen drinken. Wat trek je nou voor gezicht, jongen? Doe niet zo raar. Wat heb je toch? Je vond haar altijd zo aardig.'

'Ik wil niet!' Bart schreeuwde het bijna. 'Nee!' En hij rende de keuken uit, gooide de deur hard achter zich dicht. Maar ze kwam hem achterna, greep hem bij zijn arm, draaide hem om zodat ze hem aankeek, boos, streng, indringend. 'Nu wil ik dat je me zegt wat er

aan de hand is. Iets met mevrouw Deertsema? Is er iets gebeurd? Heeft ze je —'

Ineens schoot het eruit, alsof hij vuur spoog: 'Ze heeft dieven in huis! Stiekem! Dieven en rovers die 's nachts —' Wat hij verder wou zeggen werd onverstaanbaar gesnik.

Mama sloeg haar armen om hem heen, drukte hem tegen zich aan, en hij voelde mama ook snikken, maar, merkte hij opeens, snikken van het lachen. Ze gierde het uit: 'Búúrvrouw!! Die is dan zeker ro-hoo-hoo-verhoofdvrouw! Moe Deertsema? Die goeierd op haar bruine sloffen? Jongen nou toch!'

Heel even zag hijzelf ook hoe gek dat idee was, hoe stapel krankzin-nig, maar daarna raakte zijn hoofd weer vol duistere gestalten met roodgloeiende ogen zoals hij ze elke nacht in haar achtertuin zag rondspoken. 'Maar ik zie ze!' riep hij huilend. 'Ik zie ze in haar tuin, elke nacht, met sigaretten die ze staan te roken en dan... dan gaan ze op roof uit.'

Mama bleef lachen. 'Ach jongen, dat droom je allemaal!'

Hij schudde heftig: 'NEE!'

'Nou,' zei ze. 'Dan gaan we 't haar vragen. Kom maar mee. "Buurvrouw," vragen we. "Hebt u een roversbende in huis?"'

'NEE!'

Maar hij kwam er niet onderuit. Als er eenmaal iets moest van mama, dan moest het ook. En zo zat hij even later bij buurvrouw in de woonkamer waar het als vanouds rook naar honing en naar boenwas, altijd even keurig netjes, met gehaakte kleedjes op de tafel en de luie stoelen in 't rond.

'Ik heb kamillethee,' zei ze. 'De echte is nu helemaal op.'

Mama zei dat ze zelf pepermuntthee dronk, maar kamille was ook goed.

'En voor jou heb ik iets heel lekkers,' zei ze tegen Bart. 'Bessensap van bessen uit mijn eigen tuin. Wil je dat wel?'

Hij knikte en zei 'Ja graag mevrouw', met een schor stemmetje. En terwijl mama en mevrouw Deertsema verder praatten over kamillethee en bramenthee en citroenthee en lotusthee en pepermuntthee en poepthee probeerde hij zich een roversbende voor te stellen die hier op de gehaakte kleedjes kamillethee zaten te drinken. Hij moest erom glimlachen terwijl hij rondkeek naar de schilderijtjes aan de muur en de koperen kandelaar op het buffet. Daar stond ook een foto in een zilveren lijst van een man die heel stoer keek maar er toch niet uitzag als een rover. Nergens een spoor van andere bewoners te bekennen, en ook geen enkel geluid te horen van de zolder of uit de kelder, maar mama zat ook erg hard te praten. 'Dat is toch je zoon?' hoorde hij haar vragen. 'Ik heb hem nog nooit gezien. Komt hij nooit thuis?'

'Niet vaak nee,' zei buurvrouw. 'Nee, druk met zijn werk.'

'O? Wat doet hij eigenlijk?'

'Hij werkt in Den Haag,' zei ze. 'Op een of ander departement. Oogstvoorziening geloof ik.'

Het ging over die man op de foto, begreep hij. Ook merkte hij dat buurvrouws stem opeens heel anders klonk. Zou het dan tòch…?

Bart nam nog een slok van zijn bessensap, zo zuur dat hij er een vies gezicht bij trok. Maar toen hoorde hij mama zeggen: 'Eindelijk kwam het eruit, wat hij had gedroomd. Om te gieren van het lachen, maar daarom deed hij zo raar tegen je: hij denkt dat het echt is.'

'O,' zei mevrouw Deertsema. 'Wat dan?'

'Dat je een roversbende in huis hebt.'

Bart werd rood tot achter zijn oren.

'Roversbende?' vroeg mevrouw Deertsema. Ze lachte niet.

'Ja,' zei mama. 'En dat ze hun plannen staan te smeden in het donker, in je achtertuin. Dat ziet hij in zijn droom. En dat ze sigaretten roken. Zo'n detail! In een droom!'

Was die goede lieve aardige buurvrouw maar in lachen uitgebarsten, maar dat deed ze niet. Ze keek strak, het leek zelfs of ze schrok, of ze bleek werd. ''s Nachts?' vroeg ze schor. 'In de achtertuin?'

'Ja!' riep mama. ''t Idee! Bij jou!' Ze schaterde het uit. 'Hoe komt zo'n jongen erbij, hè?'

Maar mevrouw Deertsema lachte niet mee, ze vond het helemaal niet leuk, ze keek naar Bart en vroeg met een bevend stemmetje of hij zijn droom ook aan anderen verteld had. 'Echt niet, jongen? Niet aan een vriendje of zo? Op school? Weet je 't zeker?'

Hij schudde zijn hoofd, heftig van nee nee echt niet, doodsbang weer, tòch waar dus, anders zou ze niet zo doen…

'Er wordt zo veel gekletst, weet je,' zei ze tegen mama. 'Voor je 't weet is het geen droom meer en gaat het als echt in 't rond.'

'Nou nou,' riep mama. 'Nu overdrijf je. Geen hond die dat zou geloven. Roversbende…!'

Maar Bart zat te trillen op zijn stoel, wou zijn bessenlimonade niet opdrinken, wou alleen maar weg, weg uit dit rovershol met die foto van de hoofdman in een zilveren lijst op het buffet.

Ze gingen ook weg, even later. Het kostte hem heel veel moeite de

buurvrouw een hand te geven en 'dag mevrouw Deertsema' te zeggen. Ze keek helemaal niet vriendelijk meer.

'Toch gek,' zei mama. 'Toch gek dat ze het zo zwaar opnam. Ik had gedacht dat ze erom zou lachen.'

Bart zei niets.

'Weet je wat, jongen? Als jij nou vannacht weer die dieven ziet, of wat het zijn, moet je me gauw komen roepen. Maak me maar wakker, dan kom ik kijken. Afgesproken?'

'Ja mam,' zei hij opgelucht.

Maar die nacht verscheen er geen enkele duistere gestalte met roodgloeiend oog in mevrouw Deertsema's achtertuin, hoe lang hij ook rillend in zijn pyjama achter de duistergordijnen naar buiten staarde. Geen enkele nacht heeft hij ze meer gezien, en buurvrouw was weer haar gewone lieve veilige vertrouwde zelf.

Pas jaren later, toen de oorlog voorbij was en Bart groot was geworden, heeft mevrouw Deertsema haar geheim aan hem verteld. 'Jij had goed gezien, jongeman,' zei ze. 'Ik had ze moeten verbieden de tuin in te gaan, maar die arme stakkerds hielden het niet uit, dag en nacht op die krappe zolderkamer. Maar toen ik hoorde dat jij ze had gezien, werd ik bang. Bang dat je het vroeg of laat toch aan iemand zou vertellen, en dat het zou worden verraden, en dat was veel te gevaarlijk. Dus ze moesten diezelfde nacht nog weg. Daar heeft m'n zoon toen voor gezorgd. Hij zat in het ondergrondse werk en wist gelukkig een ander adres waar ze veilig terechtkonden.'

Toen pas begreep hij het. Die goede lieve aardige vertrouwde buurvrouw op haar bruine sloffen met pompoenen was boven alles een *dappere* buurvrouw geweest, zo dapper dat ze in de oorlogsjaren het allergevaarlijkste werk had gedaan: mannen die door de vijand gezocht werden stiekem in haar huis verborgen houden. Onderduikers dus. Allergeheimst en levensgevaarlijk.

Leny van Grootel

De laatste tuinkabouter

 Mickies oma wilde alles meenemen naar de bejaardenflat. Haar stoelen en kasten, haar lampen en spiegels, haar grote roze canapé. De divan, de hangklok, de dekenkist. De boeken, de foto's, de zeven schilderijen. En de twaalf tuinkabouters, die ze had verzameld, en die nu wat verloren tussen het tuingereedschap stonden. Van oma moest dat allemaal mee. Maar dat kon dus echt niet.

'Die boeken kunnen toch wel weg, mama!'

Mickies moeder liet vertwijfeld een stapel vergeelde sprookjesboeken op tafel vallen. 'Je leest ze toch nooit meer. En bovendien, je kunt maar één kast meenemen, en daar moet ook het serviesgoed in. Die boeken moeten maar naar een tweedehands boekwinkel.'

Oma kneep haar knokkels wit om de leuning van haar rolstoel.

'Al lees ik ze niet meer, daarom wil ik ze nog niet missen!' riep ze uit. 'Ik hoef er alleen maar naar te kíjken, en ik weet alles weer. Hoe het onder water is, en boven op de maan, en in de verre landen. Waarom de oorlog vijf jaar heeft geduurd… Zonder mijn boeken vergeet ik dat. Dan zit ik pas echt opgesloten in dat kamertje, als ik zelfs in mijn gedáchten niet meer naar buiten kan… En trouwens…'

Er verscheen een fijn lachje op oma's gezicht, alsof ze haar dochter te slim af wilde zijn. 'En trouwens, Mickie moet toch ook iets te lezen hebben als hij komt logeren? Of niet soms, jongen?'

'Mama!'

Mickies moeder was nu echt ten einde raad. Over een uur zou de verhuiswagen komen, en er was werkelijk nog helemaal niets ingepakt. 'Mickie kómt niet meer logeren, dat weet je best! Je krijgt één kamer, met één bed voor jou alleen. Toe, werk nou een beetje mee! Ik kan het toch ook niet helpen…'

Een uur later was alles beslist. Er reden twee vrachtwagens voor. De één van het verhuisbedrijf en de andere van de kringloopwinkel. De eerste voor de spullen die meegingen, de tweede voor de spullen die weg moesten. In ras tempo werd het huis leeggeruimd.
Mickie sjouwde stiekem een paar dozen met boeken de verhuisauto in. Oma's lievelingsboeken. De oude bijbel met de verhalen over Noach, de reus Goliath en Jozef met zijn rode mantel. De "Wereldgeschiedenis in een notendop". En de "Sprookjes van Grimm" natuurlijk, alle delen.
'Ik schuif ze gewoon onder mijn bed,' fluisterde oma in Mickies oor, 'dat moet ik toch zeker zelf weten.'
Toen was het huis leeg, op de schop en de hark en de kist met tuinkabouters na. De buurman, die nog even afscheid kwam nemen, nam het gereedschap mee. En de man van de kringloopwinkel sjouwde met de tuinkabouters de deur uit. Maar hij kwam niet verder dan de drempel.
Oma schoot overeind in haar rolstoel.
'Waar gaat dat heen?' riep ze geschrokken. 'Mijn dwergen gaan toch zeker óók met mij mee?'
'Nee mama!' Mickies moeder zuchtte en schudde vertwijfeld haar hoofd. 'Je hebt toch geen tuin meer! Wat moet je nou met die rommel. We gaan…'
'Rommel?' Oma werd spierwit, ze was nu pas écht kwaad, zag Mickie. 'Niemand heeft zo'n bijzondere verzameling! Tuinkabouters uit alle delen van de wereld, zelfs uit Polen en Japan! Die zet je toch niet bij het oud vuil? Ze blijven bij mij, en daarmee uit!'

Mickie stond beneden, in het park van de verzorgingsflat, en tuurde naar oma's raam op de tweede verdieping. Hij had de kabouter met de hengel al bij de vijver gezet, en die met de lantaarn tussen de blauwe violen. Nu was het houthakkertje aan de beurt, een kleine kabouter met een groen jasje. Dáár, wees oma, dáár, onder de dennenboom! Ze knikte tevreden, en keek al weer uit naar een plekje voor de dwerg met de knapzak. Vlak onder haar raam, op de kruising bij het wandelpad, daar zou ie aardig staan. Mickie had het al begrepen, en sjouwde met de kabouter onder zijn arm over het gazon. Oma lachte en zwaaide naar hem. Ze had het gordijn helemaal opzijgeschoven.

'Zeg, zeg, wat moet dat?'
Een meneer in een deftig pak, kwam leunend op een stok Mickies kant op. 'Waar ben jij mee bezig?'
'O,' zei Mickie, 'ik geef mijn oma's tuinkabouters een plaatsje. Zó, dat ze ze allemaal kan zien. Ik moet er nog zeven.'
'Tuinkabouters?' De man haalde zijn neus op, alsof Mickie het niet over stenen beeldjes maar over rotte bokking had. 'Tuinkabouters?

Mijn hemel zeg! Die passen toch niet in onze huisstijl? Tuinkabouters! Ik ga hier onmiddellijk over reclameren bij de schoonheidscommissie!'

Daar stond Mickie dan. Hij keek twijfelend van zijn oma naar de
boze meneer, die mopperend en zwaaiend met zijn stok wegliep.
Wat moest hij nou?

Hij had het gevoel dat wel honderd ogen vanachter de donkere ramen van het gebouw naar hem loerden. Met misprijzende, afkeu-
rende blikken. En zijn oma maar lachen, ze vond het prachtig en ge-
baarde enthousiast dat hij eerst iets moest komen drinken. Nou ja,
dan was hij in elk geval éven verlost van die priemende ogen in zijn
rug.

De schoonheidscommissie liet er geen gras over groeien. Binnen
een half uur stond er een hele delegatie bij oma voor de deur, inclu-
sief de meneer met de stok.

'Ja, maar,' zei oma, die er niets van begreep, 'ze staan toch zo aardig
hier in het park. Kijkt u dan zelf!'

Ze maakte een wijds gebaar naar buiten.

'Ginds bij het hek, de kabouter met de kruiwagen, net echt! En die
daar, bij de volière, dat is een uniek exemplaar. Een Poolse kabouter
met een vlinder op zijn neus. Enig toch? En dan de viss…'

'Maar mevrouw Verkuil!' De dames en heren van de schoonheidscommissie keken elkaar onthutst aan. 'Ons park is geen volkstuintje!
Dit kunnen wij niet tolereren!'

De voorzitster, een dame met een knoet en een knots van een ring
om haar pink, deed er nog een schepje bovenop.

'Ik zeg het maar ronduit, mevrouw Verkuil, vindt u ze zelf ook niet
een tíkje ordinair? Ik bedoel, voor ons soort mensen…'

'Ordinair?' Oma was totaal verbijsterd. 'Ordinair? Mijn tuinkabouters?'

'Dat moeten we helaas concluderen.' De voorzitster stak haar spitse
neus in de lucht. 'Ik neem aan dat u ze zelf uit onze tuin verwijdert?'

'Weghalen?' Oma werd witheet. 'En dat stuk oud roest dan, daar

midden op het gras. Mag dat wel blijven staan?'
'Maar dat is kúnst, mevrouw Verkuil. Een object van de beroemde
Van Dibbets. Dat is heel iets anders.'
'Nou,' riep oma, 'dan heb ik nog wel wat voor jullie!'
Snel als de bliksem stuurde ze haar rolstoel naar de afvalbak onder
het gootsteentje in de hoek van de kamer.
'Hier!' riep ze, en ze begon alle lege blikjes die erin zaten de kamer
in te smijten. 'Asjeblieft, pak aan! Kunst, dames en heren! Coca Cola!
Gooi maar in de tuin! Kippensoep met balletjes! Leuk in de vijver!
En... ahaa! Oostenrijkse leverworst! Mooi voor het rotstuintje!'
De leden van de schoonheidscommissie weken geschrokken achteruit. De mevrouw met het knotje keek medelijdend naar Mickie, die
al net zo verschrikt achter oma's rolstoel stond. 'Arme jongen. We
sturen een verpleegster, hoor, jouw oma moet even een kalmerings-
middeltje!'
Toen waren ze weg. Oma maakte vlug nog een lange neus naar de
deur.
'Kapsoneslijers,' zei ze schamper. Toen pakte ze Mickies hand. 'Sorry,
Mick, ik liet me even gaan. Maar een kalmeringsmiddel heb ik heus
niet nodig. Wel een beetje frisse lucht. Kom mee, de kabouters moeten gered, vóór ze in de klauwen van die kunstheks vallen. Ze lachte geheimzinnig en greep Mickies hand. 'Ik heb een plan. En jij
moet me helpen. Kun je woensdagmiddag?'

Vlak daarna begonnen de "geheime speurtochten", zoals Mickie ze
noemde. Oma had bedacht dat ze haar kabouters aan de stad zou
schenken. Of de stad dat nou leuk vond of niet.
Dus liet ze zich elke woensdagmiddag in haar rolstoel door parken
en straten rijden, om geschikte standplaatsen te zoeken. Elke keer
nam ze één kabouter mee, stiekem onder haar plaid, spiedend naar
passende plekjes. Die met het brilletje en het boek kwam op het af-
dak van de bibliotheek te staan. Het hengelaartje kon je zien vanaf
de brug, op de voorplecht van een verlaten woonboot. De dikke
dwerg zat veilig in de holte van een boom. En de kabouter met de
tobbe waste zich suf op de stoep van een wasserette.

'En als iemand hem daar nou weghaalt?' had Mickie gevraagd, want vooral die laatste kabouter stond daar zó voor het grijpen.

'Laat diegene er dan maar gelukkig mee zijn,' zuchtte oma. 'Ik heb in elk geval mijn best gedaan.'

Nu zochten ze een plek voor de kabouter met de lantaarn. Oma keek speurend rond. 'Die kerk daarginds, rij me daar maar naar toe,' zei ze beslist. Haar ogen schitterden. 'Daar past ie wel, met zijn brandende kaars.'

Al gauw vonden ze een lege nis, in de buitenmuur, tussen twee engelen met stenen trompetjes.

'Denk je dat je daarbij kunt?' vroeg oma.

Mickie aarzelde. Hij was wel eens in een kerk geweest, toen er een tante trouwde, maar daar hadden heel andere beelden gestaan. Mariabeelden, en beelden van oude mannen in lange gewaden met droeve gezichten. Géén dwergen, al hadden ze dan een baard…

'Pfff,' snoof oma. 'En die lelijke duivels dan, daarboven bij dat raam? Wat moeten die bij een kerk? Ik vind mijn kabouter duizend keer beter passen. Kindvriendelijker in elk geval.'

En dus klom Mickie boven op een oude fiets die tegen de muur geleund stond, en zette de lantaarnopsteker netjes in zijn nis. Het was een vrolijk gezicht, en zelfs de engeltjes leken blij met hun nieuwe buur. Oma kon tevreden zijn, en dat was ze ook.

Zo verschenen er kabouters op muren en zuilen, in goten en gaten, op vensterbanken en op balustrades. Ze gingen zelfs naar het graf van opa om er een kabouter op te zetten. 'Deze heeft hij zelf nog aan mij gegeven,' zei oma, terwijl ze het stof van de puntmuts wreef. 'Vlak voor hij ziek werd…'

Toen was er nog één kabouter over. De liefste, die met de vlinder op zijn neus.

Maar toen Mickie zijn oma kwam halen om ook deze laatste dwerg een plek te geven, deed een zuster de deur open. Ze legde haar vinger op haar lippen en nam Mickie even apart. 'Ik heb toevallig net naar je moeder gebeld,' zei ze zacht. 'Je oma is ziek. Maar als je heel stil bent mag je wel even naar haar toe.'

Mickie sloop op zijn tenen naar oma's slaapkamer. Ze lag heel stil, met haar ogen dicht. Haar wangen waren bijna net zo wit als het kussen onder haar hoofd. En het leek net of ze sliep, maar opeens zei ze: 'Jammer Mickie, nou kunnen we niet…' Ze wees met een bibberige vinger naar de kabouter, die eenzaam op de tafel stond.
'Ik kan wel alleen gaan,' zei Mickie. Hij kreeg het benauwd in die stille kamer, met dat nachtkastje vol met pillendozen en enge drankjes. Er lag zelfs een grote spuit naast een thermometer op een bakje. Oma glimlachte. 'Ja, doe dat,' zei ze. 'Dan kom je me morgen vertellen waar hij terechtgeko… oo, uche-ucheuch.'
Ze begon te hoesten en de zuster kwam vlug aangelopen om oma een beetje rechtop in de kussens te zetten.

Mickie pakte de tuinkabouter van tafel. Bij de deur draaide hij zich nog een keer om. Liet hij oma niet erg vlug in de steek? Maar ach, ze was al weer in slaap gevallen, want ze lag zó stil, geen trillende handen meer.

Mickie sjokte door de stad, met de kabouter onder zijn jas. Wat was zo'n stenen beeldje zwaar! Doodmoe was hij. En nergens zag hij een geschikte plek. Soms kwam hij op zijn route één van de andere kabouters tegen. Ze waren gelukkig nog niet allemáál weggehaald…
Ik kan hem gewoon thuis op het balkon zetten, dacht hij. Dan ben ik er vanaf. Alleen… mama heeft ook al zo'n rare smaak, die wil alleen maar… hoe noemt ze dat? Diezain of zoiets. Tuinkabouters zijn vast niet diezain. Ja, ze zal hem heus wel een week laten staan, maar dan verdwijnt hij geruisloos, net als die dingen die ik met handenarbeid maak.
Toch begon hij maar vast richting huis te lopen. Langs de sporthal, langs school… Er stonden nog best veel fietsen in de stalling, de meesters en juffen hadden natuurlijk weer een vergadering. Kijk, meester Ieps fiets stond er ook, met die grote tassen opzij.
En toen wist Mickie opeens waar hij zijn kabouter moest laten. Dat hij daar nu pas aan dacht! Hij stak het verlaten schoolplein over, en glipte door de zijdeur naar binnen…

Jammer, zó jammer vond Mickie het, dat zijn oma nooit heeft geweten dat haar lievelingskabouter de mooiste, de veiligste en de gezelligste plek ter wereld had gekregen op zijn eigen tafel, in de klas.
Hoewel… soms heeft hij het vreemde gevoel dat zijn oma af en toe nog op bezoek gaat bij haar tuinkabouters, zwevend van de een naar de ander. Op zulke momenten ziet hij haar voor zich, net alsof ze echt is. Dan vergeet hij zijn sommen en tekent vlinders in zijn schrift.

Uit: Leny van Grootel, *Schatten van groep zeven*,
Uitgeverij Holland – Haarlem, 2003

Thijs Goverde

De verborgen prinses

Lieve help, wat was ze lelijk! Haar neus zat scheef, ze zat vol vlekken en bulten, ze had een bochel en een klompvoet en er groeiden lange zwarte haren uit haar neus. Dit was ongetwijfeld de lelijkste prinses aller tijden, dat was nu al te zien. En ze was nog geen tien minuten geleden geboren.

Somber keek de koning naar de koningin.

'Het spijt me zeer,' zei hij tegen de koningin, 'maar voor dit gedrochtje laat ik de klaroenen niet schallen.'

'Misschien trekt het nog bij,' sprak de koningin hoopvol. Zuchtend staarde ze naar het gedrochtje, dat ze net had gebaard. 'Wat denkt u, dokter?' vroeg ze aan de lijfarts die het kind de wereld in had geholpen.

De dokter zei niets. De dokter was flauwgevallen. Van de schrik, omdat hij nog nooit zo'n lelijk kind had gezien.

'Misschien trekt het nog bij,' herhaalde de koningin weifelend.

Maar nee. De prinses werd alleen maar afschuwelijker. Er kwamen slijmerige pukkels bij, en een grauwgroene glans op haar gezicht, en haar nagels werden zwart en brokkelig. Ze was niet om aan te zien. Toen de prinses een week oud was, kwam er een oude tante op visite. Die zag de wieg staan, kirde: 'Ach, wat leuk, een baby'tje!' en boog zich voorover om het kind onder de kin te kriebelen. De koningin wilde haar nog waarschuwen, maar het was al te laat. Het arme mensje stierf ter plekke van schrik. Ja, morsdood stierf ze, en er was niets meer aan te doen. Een week later sprong de oude min, die voor het kindje moest zorgen, van de paleistoren af. Zij viel liever zo plat als een pannenkoek dan nog een uur langer naar de prinses te moeten kijken.

'Hofnar,' zei de koning, 'dit is niet leuk meer. Er beginnen dooien te vallen.'

'Kom kom,' lispelde de hofnar. 'Het valt vast mee. Lelijker dan ik kan ze niet zijn!' En hij hompelde naar de babykamer, om te zien hoe erg het was. Helaas: het viel *niet* mee. De prinses was *wel* lelijker, en ook de hofnar stierf van schrik.

'Konijntje,' zei de koning (daar bedoelde hij de koningin mee. Hij noemde haar al jaren zo. In het begin vond de koningin dat erg vervelend, maar intussen was ze eraan gewend). 'Konijntje, onze dochter is een gevaar voor haar omgeving. Laten we haar opsluiten in een toren ergens ver weg, dat is voor iedereen het beste.'

Jaja, dacht de koningin, voor iedereen het beste, het zal wel. Je schaamt je gewoon voor je lelijke dochter, slapjanus! Dat dacht de koningin, maar ze zei het niet, want ze leefden in ouderwetse tijden en een vrouw mocht haar man niet tegenspreken.

Wat de koning wilde, dat gebeurde dus. De prinses werd opgeborgen en iedereen deed alsof ze nooit had bestaan. Soms moest de koningin daar om huilen, maar dan zei de koning: 'Kom kom, konijntje! Niet zo sip! We hebben nog zes anderen, en die zijn wél mooi.'

Dat was waar. De zes andere prinsessen waren prachtige juffers, de een nog verrukkelijker dan de ander, en de jongste was het allermooist. Met haar wilde dan ook iedereen trouwen, maar zij zei: 'Ik wil alleen de dapperste.'

Dat had ze beter niet kunnen zeggen. Alle ridders uit de wijde omtrek begonnen elkaar de hersens in te slaan, om hun moed te bewijzen. En als er één ding is waar ridders goed in zijn, dan is dat het inslaan van hersens. Het duurde niet lang of het land lag bezaaid met overleden ridders. Een levende ridder werd een regelrechte zeldzaamheid.

'Mooie boel is dat,' mompelde de koning. 'Zo houd ik geen leger meer over. En wat is een koning zonder leger? Een sukkel met een kroon en een grote mond. Hier moet snel een einde aan komen!'

Al snel schalden in heel het rijk de klaroenen, want de koning liet een nieuwe wet bekendmaken. En die wet luidde:

Ridders mogen enkel hun moed bewijzen door gevaarlijke monsters te verslaan. Van hun collega's moeten ze afblijven.

Was getekend: De Koning.

De ridders gingen onmiddellijk op monsterjacht. Ze versloegen de meest verschrikkelijke dieren: everzwijnen zo groot als olifanten en olifanten zo groot als kathedralen. Ook draken en hippogriefen en al die andere beesten die wij tegenwoordig fabeldieren noemen, omdat ze nu niet meer bestaan (de ridders waren erg goed in hun werk). Ja, het land werd helemaal bevrijd van alles wat monsterlijk was. Er was alleen nog een reus, die woonde in een groot, onherbergzaam woud in het noorden. Die was zó verschrikkelijk, dat de ridders hem liever met rust lieten.

'Nou,' zei de jongste prinses, 'dat lijkt me duidelijk. Wie mij het hoofd van die reus brengt, mag met me trouwen.'

Er waren er maar vijf, die het durfden. Vijf houwdegens in heldhaftig harnas, samen op weg naar het noorden. Samen ja, want elk van hen dacht: de rest maakt toch geen kans. Dan kunnen we net zo goed gezellig samen op weg.

Toen ze halverwege waren, kwam hen een kleine ridder tegemoet, in een schitterende zilveren wapenrusting.

'Waar gaat dat heen?' vroeg de kleine ridder.

'Naar het noorden,' zeiden de houwdegens. 'We gaan een verschrikkelijke reus verslaan, om te zien wie de dapperste is.'

'Dat is net wat voor mij,' zei de kleine. 'Mag ik mee?'

'Natuurlijk,' riepen de vijf helden grootmoedig. 'Met wie hebben wij de eer?'

'Mijn naam zeg ik niet,' sprak de kleine ridder plechtig, 'en ook mijn helm doe ik niet af, totdat ik bewezen heb de dapperste te zijn.'

'Zoals je wilt, kleine man,' lachten de houwdegens, want ze dachten allemaal: zo dapper als *ik* ben, is dat kleintje toch niet. Maar toen ze bij het grote woud kwamen, en de reus zijn gruwelijke kop boven de bomen uitstak, toen verging hen de lach. Zoiets afgrijselijks hadden zij nog nooit gezien. Eén van de houwdegens zei: 'Ik mag dan dapper zijn, gek ben ik niet. Ik ga terug naar huis. Die prinses kan mijn rug op. Ik trouw wel met haar oudste zus.'

'Goed idee,' zei een ander. 'Dan trouw ik met de tweede.' Ze draaiden zich om en vertrokken.

'Mooi zo,' mompelden de overgebleven drie houwdegens. 'Dat schiet lekker op; de prinses houdt niet van lafaards.' Maar zelf durfden ze ook geen stap naar voren te zetten. Alleen het kleine riddertje galoppeerde op de reus af.

'Wat mot je?' brulde de reus, die niet erg beleefd was opgevoed.

'Ik kom je verslaan,' riep het riddertje. 'Om te laten zien hoe dapper ik ben.'

'Ha!' schamperde de reus. 'Dapper, hè? Dan moet je *mij* niet hebben. In het bos woont een heks, die is nog veel afschuwelijker dan ik. Daar ben *ik* zelfs bang voor!'

'Dat is net wat voor mij,' zei de kleine. 'Gaan jullie mee?'

'Natuurlijk,' zeiden de drie helden, 'maar alleen als jij voorop gaat.'

'Zoals jullie willen,' lachte de kleine. Zij gingen het bos in, en het duurde niet lang of de heks kwam eraan gevlogen op haar bezemsteel. En inderdaad: bij haar vergeleken was de reus zo schattig als een babypoesje.

'Dit wordt ons te gortig,' piepten twee van de houwdegens. 'Wij trouwen wel met de derde en de vierde prinses.' Ze draaiden zich om en gingen ervandoor.

De laatste houwdegen zei niets. Stilletjes stond hij in zijn harnas te plassen van angst. Maar de kleine ridder galoppeerde op de heks af en zei: 'Ik kom je verslaan, heks, om te laten zien hoe dapper ik ben.'

'Ha!' snoof de heks. 'Dan moet je *mij* niet hebben. Diep in het bos staat een toren en daarin woont een prinses, die nog angstaanjagender is dan ik. Wie haar aankijkt, sterft van schrik. Tenminste, dat heb ik gehoord.'

'Dat is net wat voor mij,' zei de kleine. 'Kom je mee?'

'Liever niet,' zei de laatste houwdegen. 'Ik trouw wel met prinses nummer vijf.'

'Zoals je wilt,' lachte de kleine. De laatste houwdegen vertrok, en de kleine ridder ging moederziel alleen naar de toren.

'Wie is daar?' riep de prinses, want de ridder had natuurlijk netjes geklopt.

'Ik ben een ridder,' riep de ridder. 'Ik kom u onthoofden, om te laten zien hoe dapper ik ben.'

'Doe dat maar,' kwam het antwoord. 'Een mens kan beter dood zijn, dan zo lelijk als ik.' De deur zwaaide open en de prinses verscheen.

In de ridderkeel bleef een ademtocht steken. Het ridderhart sloeg een paar slagen over. Want deze prinses was werkelijk het aller- allermooiste meisje dat er op aarde kon bestaan. Veel en veel mooier dan alle zes haar zussen bij elkaar.

'Juffrouw,' zei de ridder, 'ik moet u iets zeggen. U bent de mooiste vrouw ter wereld. En gelooft u mij: ik ben een kenner van vrouwelijk schoon.'

'Zullen we dan maar gaan trouwen?' vroeg de prinses.

'Helaas, prinses,' zuchtte de ridder, 'dat zal niet gaan. We leven in ouderwetse tijden, nietwaar, en geen priester zal ons ooit huwen.'

'Waarom niet? Een ridder en een prinses, dat gaat toch prima samen?'

Als antwoord nam de kleine ridder de helm van het harnas af. Prachtige rode krullen kwamen te voorschijn.

De ridder was een meisje.

'Ik ben geen ridder,' zei ze. 'Ik ben een ridster. Niet verder vertellen, hoor, want we leven in ouderwetse tijden en een meisje mag geen ridder zijn.'

'Ja maar… hoe moet dat nu verder?' vroeg de prinses wanhopig. 'Geredde prinsessen trouwen altijd met hun ridders! Wat moeten we anders?'

'Op zoek naar een harnas,' zei de ridster. 'Met een goede dichte

helm, zodat niemand kan zien wie je bent. En dan: samen het avontuur tegemoet!'

Dat deden ze. De zesde prinses heeft nooit begrepen dat de kleine niet terugkwam om met haar te trouwen, want hoewel de twee ridders dappere daden verrichtten, kreeg niemand daar ooit iets van te horen. Ze leefden in ouderwetse tijden, moet je rekenen, en toen werden er over meisjesridders geen verhalen verteld.

Van Thijs Goverde zijn de volgende boeken verkrijgbaar:

De purperen koningsmantel
De zwijnenkoning
Het teken van heksenjagers
De ongelofelijke Leonardo
Het witte eiland

NEDERLANDSE
KINDERJURY
2006

Omslag en tekeningen: Saskia Halfmouw
Typografie omslag: Ingrid Joustra, Haarlem

Alle rechten voorbehouden. Niet uit deze uitgave mag worden verveelvoudigd, opgeslagen in een geautomatiseerd gegevensbestand, of openbaar gemaakt, in enige vorm of op enige wijze, hetzij elektronisch, mechanisch, door fotokopieën, opnamen, of enige andere manier, zonder voorafgaande schriftelijke toestemming van de uitgever.

© Uitgeversmaatschappij Holland – Haarlem, 2005

ISBN 90 251 0953 5
NUR 282